L'âme d'un héros

Walter Mosley

L'âme
d'un héros

ROMAN

*Traduit de l'américain
par Bernard Cohen*

Albin Michel

Titre original :

ALWAYS OUTNUMBERED, ALWAYS OUTGUNNED

© Walter Mosley, 1997

Traduction française :

© Éditions Albin Michel S.A., 2000
22, rue Huyghens, 75014 Paris

www.albin-michel.fr

ISBN 2-226-11680-X

Pour Gloria Loomis
Et un grand merci à Julie Grau

L'ombre écarlate

1

— Qu'est-ce tu fais là, 'ti ?

Six heures du matin. Socrate Fortlow était sorti dans la ruelle voir ce qui avait bien pu arriver à Billy. Il ne l'avait pas encore entendu coqueriquer, ce jour-là. Il s'inquiétait pour son vieil ami.

Le soleil se levait à peine. Dans cette demi-lumière, les tas d'ordures, l'asphalte fracturé paraissaient presque beaux. Des bouteilles de vin abandonnées brillaient au milieu des détritus telles de troubles émeraudes. S'il n'avait pas bougé, Socrate n'aurait pas aperçu le garçon. Il se tenait de l'autre côté de la rue, près du grillage de Billy, une petite boîte en carton à ses pieds.

— En quoi ça t'occupe, le vieux ?

Le gamin ne devait pas avoir plus de douze ans mais il avait déjà le dur regard des taulards.

Socrate connaissait bien les taulards. De dehors, de dedans, il les connaissait.

— J't'ai posé une question, 'ti. Ta maman, elle t'aura pas appris à être poli ?

— Merde !

Le gosse se détourna, prêt à la fuite. Il portait un jean baggy, un grand tee-shirt bleu qui flottait sur sa poitrine et ses bras osseux. Il avait le crâne pratiquement rasé.

Il se baissa pour ramasser la boîte.

— Comment qu'on t'appelle ? demanda Socrate au derrière efflanqué que l'autre lui présentait.

— Ça t' regarde ?

Socrate ouvrit le portillon en bois et fit un pas en avant. Si le gosse n'avait pas été courbé, il aurait pu l'esquiver. Il entendit bien quelque chose, se jeta instinctivement de côté, mais il n'avait pas été assez rapide. Les mains de Socrate, ses battoirs comme disait Joe Benz, emprisonnèrent les bras maigres du garçon.

— Aïe, merde !

Socrate le secoua jusqu'à ce que le couteau cranté, qui avait surgi de nulle part, tombe du poing du petit.

Dans la boîte, le vieux coq brun était mort. Sa tête avait été cognée avec tant d'acharnement que la moitié du bec avait disparu.

— Lâche-moi, mec ! protesta le gamin en ruant.

— M'oblige pas à t' sonner, 'ti, l'avertit Socrate, qui le tenait à bout de bras.

Puis, lui libérant une main :

— Ramasse c'te boîte, là. Ramasse !

Quand le garçon eut obéi, Socrate le tira de force par le portillon. Ils passèrent devant les plants de tomates, les haricots grimpants, puis entrèrent dans les deux pièces où il vivait depuis sa sortie de prison.

La cuisine était juste assez grande pour un homme et demi. Un lino tout piqué au sol, brunâtre là où il avait conservé sa couleur d'origine, rendu gris par l'usure ailleurs. Une petite table carrée pour manger, une chaise pliante en plastique pour s'asseoir. Un évier avec une plaque chauffante sur le rebord, des placards dont les portes avaient été arrachées et qui ne gardaient que leurs étagères.

Une ampoule de soixante watts était allumée au-dessus de l'évier. L'odeur du café flottait dans la pièce. Un journal était étalé sur la table.

Socrate poussa le garçon sur la chaise. Sans ménagement.

— Assis là !

Près de l'ampoule, une toile d'araignée luisait doucement, au milieu de laquelle une araignée rouge se mouvait lentement.

— Comment qu'on t'appelle, 'ti ? répéta Socrate.

— Darryl.

Une reproduction de tableau était punaisée sous la lumière. Une Noire, à l'entrée d'une maison, portant une robe et un chapeau rouges, les yeux protégés du soleil par le bord de la capeline. Bras croisés sur la poitrine, elle paraissait en colère. Darryl la regardait fixement tandis que l'araignée continuait à danser au-dessus.

— Pourquoi qu't'as tué mon ami, macaque ?

— Hein ?

Il y avait de la peur dans la voix de Darryl.

— T'as entendu.

— Je... J'ai tué personne, moi ! (Il avala sa salive, les yeux démesurément écarquillés.) Qui t'a... Qui vous a dit ça ?

Comme Socrate ne répondait pas, le garçon tenta de se lever pour s'enfuir, mais il se retrouva plaqué sur la chaise par une bourrade qui lui coupa le souffle.

Socrate s'accroupit devant la boîte, en retira le vieil oiseau et le brandit devant Darryl.

— Pourquoi qu't'as refroidi Billy, toi ?

— Mais c't'une volaille ! cria le garçon, apparemment soulagé mais dont les yeux restaient pleins de frayeur.

11

— C'est mon ami.

— T'es ouf, le vieux ! C't'une volaille. Une volaille ça peut pas être un ami de personne !

Malgré son ton agressif, Socrate vit la culpabilité passer sur les traits du gosse. Il resta un moment à méditer sur ce garçon et sur le coq qui l'avait réveillé chaque matin depuis huit ans. Une bouffée de rage monta en lui. Il serra le cou du volatile dans son poing crispé.

— T'es dingue, le vieux, murmura Darryl.

À ce moment, un gros camion s'engagea dans la rue, faisant trembler chaque ustensile dans la minuscule cuisine.

Socrate jeta la dépouille sur les genoux du garçon.

— Mets-toi à l'évier et plume-le.

— Mais merde !

— Pas besoin de parler sur ce...

— Tu vas pas quand même croire que je vais me...

— ... Et moi j'te casse les côtes, à moins.

— Plumer quoi ? Comment ça, plumer ?

— J'veux dire que tu t'mets devant c't'évier et qu' tu lui arraches les plumes. Pourquoi qu'tu l'aurais tué, si c'est pas pour l'plumer ?

— Moi ? Moi j'm'en allais le vendre.

— Le vendre ?

— Ouais, répondit Darryl. Une maman qui voudra faire du poulet, elle m'l'achète, p'têt'.

2

Darryl pluma entièrement la bête. Il avait voulu abandonner à mi-chemin, mais Socrate le renvoya de force devant l'évier en lui montrant les endroits où restaient des plumes. Le petit coupa les pattes et la tête sanguinolente du coq avec le couteau tranchant comme un rasoir que Socrate lui tendit, puis il lui ouvrit le ventre et en retira le foie, le cœur et le gésier.

— Rince-moi tout ce sang-là, tout, ordonna Socrate à son prisonnier. Le sang, ça finit par rendre malade.

Pendant que Darryl s'activait sous ses ordres, le vieil homme mit à cuire un sachet de riz et prépara un plat de haricots verts au lard et au poivre noir. Les différentes opérations se succédaient sur l'unique plaque chauffante. Ensuite, il fit rissoler des oignons frais et sauter les abats du coq dans de la graisse dont il gardait un pot au-dessus de l'évier, mélangea le tout au riz. Quand la volaille fut fin prête, il jeta des tomates, de l'ail et du basilic venu de son jardinet dans une grande marmite qu'il posa sur la plaque.

— C'était un dur, Billy, annonça-t-il. Va lui falloir cuire un bon moment.

— Quand est-ce que tu m' laisseras partir, mec ?

— Où qu'tu voudrais aller ?

— À la maison.

— Ah... C'est bon, c'est bon. Billy en a pour une heure, facile. On va aller chez toi, pendant ce temps. C'est par où ?

— Comment ça, le vieux ? Tu mettras pas les pieds chez moi !

— Tiens donc, répliqua Socrate, sans aucune colère désormais. Tu arrives ici, tu assassines mon ami, moi j'dois en causer à qui de droit.

Darryl n'avait pas de réponse. Il venait de passer plus d'une heure à travailler dans ce réduit pour son geôlier, sans même oser lui adresser la parole. C'était ses mains, surtout, qu'il craignait. Une poigne pareille... Même avec le couteau dont il s'était servi pour dépecer la bête, il se sentait impuissant devant ces mains.

— J'ai faim, annonça-t-il. On mange quand ? Parce que bon, après tout ce boulot, j'espère que t'avais en tête de le boulotter présentement, là ?

— Moi ? Oh non, 'ti. Moi, j'croyais qu'on allait l'prendre et l'vendre à une maman qu'aimera le poulet.

— Hein ?

La minuscule cuisine s'était emplie des effluves du coq et des épices. L'estomac de Darryl gargouilla bruyamment.

— T'es affamé ?

— Pas moins.

— Ah bon, ça, très bon.

— J'vois rien d'bon, merde, à part si j'me calfate avec quèqu'chose !

— Un gars, ça doit connaître faim. Oh oui, les ti' bougres sont toujours avec la faim dans l'ventre. C'est comme ça qu'i'deviennent des hommes.

— Mais qu'est-ce que tu chantes là ? T'es ouf, voilà ! Pas à aller plus loin...

— Quand tu connais faim, tu connais qu'i't'faut quèqu' chose. T'as besoin de quèqu'chose et faim te dit ce que t'as besoin.

— Hé, ça s'rait encore un ami à toi, là ? persifla Darryl. « Faim », « Faim », c'est un pote à toi ?

À ce moment, Socrate sourit. Une sorte de ravissement illumina son large visage noir. Il n'était pas si vieux, en fait, dans la cinquantaine. Avec toutes ses dents, de bonnes dents solides même si elles étaient toutes tachées. Le sommet de son crâne était chauve, des touffes de cheveux blanc filasse se hérissaient derrière ses oreilles.

— Faim, oui, faim du manger et faim d'chéries et fin d'ma peine... Tout ça c'est mes amis, oui, mes très bons amis. (Darryl renifla l'odeur du ragoût ; son ventre gronda encore.) Oui ? Oui, là tu dis vrai. Tous, mes bons amis. Tous. Il te faut de bons amis si tu veux t'tirer du trou.

— T'as été en taule ?

— Exact.

— Mon reup i'l'est aussi. Enfin, l'était. L'est mort, là.

— Ah, j'suis navré, 'ti frère. Vraiment.

— T'as plongé pourquoi ?

Socrate ne parut pas avoir entendu la question. Ses yeux étaient fixés sur la reproduction au-dessus de l'évier. À droite, il y avait un champ d'herbes fanées sous un ciel bleu clair. Les fenêtres de la maison étaient closes mais le soleil s'abattait sans pitié sur la femme en rouge.

— T'es toujours affamé ?

Comme l'estomac de Darryl gargouillait à nouveau, Socrate éclata de rire.

3

Il fit asseoir le garçon sur la chaise, retourna la poubelle en guise de siège pour lui-même puis se plongea dans la lecture du journal pendant une demi-heure, ou plus. Darryl préféra se taire et patienter. Au moment voulu, Socrate posa trois assiettes sur la table, l'une de riz, l'autre de haricots, la troisième de morceaux de vieux poulet coriace. Sans un mot, ils attaquèrent leur repas, voracement. Il n'y avait que de l'eau à boire, dans deux pots à mayonnaise. Ils reprenaient souffle ensemble, claquaient la langue ensemble, faisaient aller leurs doigts à l'unisson, tantôt pour déchiqueter, tantôt pour collecter la nourriture.

Qui les aurait surpris dans ce festin aurait tout de suite compris qu'ils venaient de la même terre, priaient les mêmes dieux.

Quand les assiettes furent vides, ils se redressèrent, croisèrent leurs mains sur leur bedon, soupirèrent de concert et secouèrent la tête, comme étonnés d'être finalement rassasiés.

— Ça c'était une bouffe, merde ! soupira Darryl. Hmmm !

— J'parie qu'tu savais pas cuisiner, dis ?

— Putain, non !

— Parle donc pas salement, ti frère. Mesure tes paroles, comme ça quand tu diras quèqu' chose d'affûté on saura que tu causes pas en l'air.

Darryl faillit répliquer, mais il se ravisa. Son regard glissa vers la porte avant de revenir se poser sur Socrate.

— Je peux y aller, maintenant ? demanda-t-il sur le ton d'un garçon s'adressant à un aîné, enfin.

— Pas encore.

— Mais pourquoi ?

Il y avait un soupçon de peur dans la voix du gamin, qui ramena à la mémoire de Socrate les nombreuses fois où il avait pris plaisir à effrayer de jeunes prisonniers. Oui, là-bas il avait apprécié la compagnie de la peur...

— Pas tant que j'l'aurai pas entendu. Tu bougeras pas d'ici avant.

— Entendu quoi ?

— Tu sais très bien, alors fais pas le sot. Fais pas le niais et on sera amis.

Darryl avait commencé à se lever, mais il abandonna cette idée en voyant les gigantesques paluches s'élever à quelques centimètres de la table. Ses yeux braqués sur celui du garçon, Socrate poursuivit :

— T'as raison de trouiller, Darryl. Ces mains-là elles ont tué des hommes, déjà. Brisé leur cou, coupé leur sifflet. Rien qu'avec celle-là, j't'écrase la tête comme une noix...

Sa paume gauche était ouverte en l'air.

— Je... J'ai pas peur.

— Mais si. Je l'sais que tu sais, vu que t'es pas idiot. Des saloperies, t'as dû en voir un peu partout mais des comme moi y en a pas. Pire que moi, t'as pas vu.

16

(Darryl jeta encore un coup d'œil à l'entrée.) Personne va venir t'sauver, 'ti frère. Personne viendra. Alors si tu veux te tirer d'là, tu f'rais mieux de m'donner c' que j'veux.

Socrate avait vu venir le moment où les larmes se mettraient à couler. Il l'avait vu des centaines de fois. Au pénitencier, cela lui donnait envie de rire, même. Mais là, il était triste. Il aurait voulu réconforter ce petit chialeur, lui dire que tout allait bien, qu'il ne fallait pas pleurer. Seulement, tout n'allait pas bien, non, et peut-être en serait-il toujours ainsi...

— Pleure pas, fils. Ravale-moi ces larmes et raconte.

— Raconte quoi ? protesta Darryl, dont la voix vibrait comme les ailes d'un gros papillon.

— Raconte qui t'as tué, voilà quoi.

— J'ai tué personne, répondit-il d'un ton accablé.

— Oh si. Ou que tu l'as tué, ou que t'as vu quèqu' chose. 'T'à l'heure, quand tu pigeais pas que je parlais de Billy, j'ai bien compris dans tes mots. Quand quelqu'un est coupable, j'l'sais, Darryl. J'l'sais dans mon âme, là. (Le garçon détourna les yeux et resta coi.) J'suis pas un flic, Darryl. J'irai pas t'dénoncer. Mais cet ami-là à moi que t'as tué, on vient de l'manger, hein ? J'suis redevable à Billy, et à toi aussi, alors allez, raconte. Tu racontes, après tu pourras partir.

Ils restèrent un long moment à se dévisager. Socrate grimaçait un sourire destiné à rassurer le gamin, mais il n'avait rien de bienveillant. Il montrait les dents. Il avait l'air d'avoir faim, encore.

Darryl se sentait comme le coq qu'ils venaient de dévorer.

Il ne voulait pas parler mais il n'était pas mal à l'aise non plus. Pourquoi l'aurait il été, d'ailleurs ? L'idée n'était même pas venue de lui, ni de personne. C'était arrivé, point final. Jamal, Norris et lui, là-haut, au-dessus de Baldwin Hills, là où ils prospectent le pétrole. Des fois, les mecs y conduisent leurs copines, alors quand on est malin on peut mater de la fesse et même repartir avec une petite culotte.

On disait que l'armée s'était entraînée par là, dans le temps, qu'il y avait encore plein de cartouches et de grenades dans les herbes, qu'il suffisait de chercher un peu.

Et puis, à ce moment, le mouflet s'était pointé. Un gosse retardé, pas normal. Il leur avait expliqué qu'il était monté avec son frère mais qu'il l'avait planté là. Alors, il voulait faire ami avec Darryl et ses potes.

— Au début, on chahutait juste, expliqua-t-il à Socrate. Quoi, on le poussait un brin, rien de méchant...

Mais comme il n'arrêtait pas de les suivre et se mettait à glapir dès qu'ils repéraient un couple enlacé, ils avaient fini par lui tomber dessus. Norris lui avait même envoyé une pierre dans la tête. Rien à faire, le débile continuait à s'accrocher, il courait derrière eux en criant qu'ils lui avaient fait mal. Il criait, il criait... Et quand ils l'avaient frappé, plus fort, pour l'obliger à se taire, il avait poussé un tel hurlement qu'ils en avaient eu l'intérieur tout retourné.

— Tu sais, ma lame, elle me quitte jamais, dit Darryl. Quelqu'un te cherche noise, tu dois savoir la sortir vite, c'est un entraînement, tu sais ça... (Socrate opina du bonnet, lui-même s'entraînait toujours.) Je comprends même pas comment elle s'est retrouvée dans ma main. J'avais pas l'intention de l'saigner, la vérité.

— Tu l'as tué ?

Bouche ouverte, Darryl ne pouvait articuler un mot. Il fit oui de la tête.

Ils avaient juré de garder le secret entre eux. Celui d'entre eux qui le trahirait, ils le tueraient. Ils avaient scellé le serment dans le sang, puis ils étaient rentrés chez eux.

— Personne l'a retrouve ? demanda Socrate.

— Je sais pas.

L'araignée écarlate poursuivait sa danse tandis que la femme en rouge gardait les bras croisés et braquait son regard réprobateur sur tous les hommes de la Création, notamment les deux qui se trouvaient devant elle.

Darryl se leva. Il devait aller aux toilettes. Il avait la chiasse après ce gros repas. Et après avoir raconté son histoire, pensa Socrate.

Quand il revint, il avait le teint cendreux, les lèvres terreuses.

Il se laissa tomber sur la minable chaise de Socrate, somnolent, mal en point, abandonné mais pas fatigué.

Ils restèrent ainsi un long moment. Les minutes passaient, sans aucune montre pour les décompter. En prison, Socrate avait appris à mesurer le temps tout seul.

En face de Darryl effondré sur son siège, il égrena les minutes dans sa tête.

5

— Qu'est-ce tu vas faire, 'ti frère ?

— Hein ?

— Comment qu'tu vas rattraper ça ?

19

— Rattraper quoi ? L'est mort, là ! J'vais pas l'ramener des morts, moi !

Quand Socrate regardait le garçon, ses yeux demeuraient indéchiffrables. Mais l'important n'était pas ce qu'il pouvait être en train de penser. Darryl détourna le regard, le reposa sur son aîné, s'agita sur sa chaise, passa la langue sur ses lèvres desséchées.

— Quoi ? finit-il par demander.

— T'as tué un pauvre bougre qui pouvait rien contre toi. T'as tué ton 'ti frère alors qu'i't'menaçait pas. Le bougre, l'avait même pas de thune que tu pouvais pas lui prendre sans le massacrer. T'as mal fait, Darryl. Mal fait.

— Mais putain tu te..., commença le garçon en criant.

Il s'arrêta en voyant Socrate lever une main. Il n'y avait pas de violence dans ce geste. Socrate montrait la vérité à son hôte, c'était tout. Darryl se calma. Il écoutait.

— J'suis pas ton juge, 'ti frère. J'vais pas te mettre au trou. J'te cause juste. Un nègre qui cause à un autre nègre. Si tu veux pas entendre, j'peux rien faire, là.

— Alors j'peux y aller ?

— Oh oui. J'suis pas un maton, moi. Juste, j'te demande de m' dire comment que t'as pas mal fait. Dis-moi un peu comment c'est bien qu'un gaillard en pleine santé tue son frère noir qu'est faible.

Darryl ne regardait plus les mains de Socrate, mais ses yeux.

— Tu... Tu f'ras rien ?

— Le bougre, l'est mort. Le coq pareil. On peut rien y changer. Mais faut que tu t'figures où t'en es, toi.

— Moi j'vais pas en taule, si c'est ça que t'es en train de me dire !

— Calme, calme, le reprit Socrate en souriant.

J'vais pas te blâmer pour ça. La prison, non, ça servirait à fichtre rien. Vaut mieux se tirer une balle dans la calebasse que d'aller en prison.

— J'me tirerai pas une balle non plus ! Ah non !

— Si t'apprends ce qu'est mal, alors p'têt' que tu finiras par être un homme.

— Et ça veut dire quoi, ça ?

— On est toi et moi, Darryl. Juste toi et moi, là. C'que j'dis, présentement, c'est qu't'as fait mal en tuant ce gars. Je sais qu' tu l'as tué, je sais que c'est pas d'ta faute et je dis quand même que c'est mal. Alors si c'est vrai et si tu peux l' dire, t'auras au moins appris quèqu'chose, hein ? P'têt' que tu t' réveilleras un jour et qu'tu seras capable de rire, comme avant...

Darryl fixait l'araignée, maintenant immobile. Il était pétrifié, lui aussi. Il attendait.

— On doit tous être juge de soi-même, 'ti frère. Vu que si t'apprends jamais à reconnaître le mal, ta vie elle vaut pas tripette.

Darryl patienta encore, jusqu'à ce qu'il ne puisse plus y tenir :

— Bon, j'peux y aller ?

— Billy, tu l'as mangé. Sur ça, m'est avis que t'es en règle.

— Alors c'est pas mal que j'l'aie tué à partir du moment que j' le mange ?

— C'est mal, si, rien à faire là-dessus. Mais au moins t'as appris, un peu. Des poulets, tu vas pas en tuer plus... (Il eut un rire rauque et dur.)... Pas par ici, à tout le moins !

Darryl se leva, surveillant d'un œil les réactions de Socrate.

— Maman elle prépare le manger chez toi, Darryl ?

— Des fois. Pas trop souvent.

— Quand tu veux, tu viens ici et j't'apprends à cuisiner. Et après on s'remplit bien la panse, en plus.

— Ouais, ouais...

21

Darryl risqua un pas de côté. Socrate ne quittait pas la poubelle qui lui servait de siège.

Le garçon alla jusqu'à la porte, saisit le bout de fil de fer qui faisait office de loquet depuis très longtemps.

— Pourquoi qu'i't'avaient mis au trou ? risqua-t-il.

— J'ai tué un homme, j'ai violé sa femme.

— Un Blanc ?

— Non.

— Ah... 'Rvoir.

— À plus, 'ti frère.

— Euh, pour ton poulet... excuses.

— L'était pas à moi, Billy. L'était le coq d'une vieille dame en face.

— Ah... Bon, 'r'voir.

— Darryl ?

— Ouais.

— Si tu t'mets dans l'pétrin, tu peux toujours rappliquer ici. J't demanderai pas c'que t'as fait ou pas fait. Tu peux toujours venir me voir.

6

Longtemps après le départ du gamin, Socrate continua à fixer la porte des yeux. Des heures durant. La nuit tomba, le vent frais du désert de Los Angeles commença à entrer par tous les interstices de la cahute qu'il occupait. Caché quelque part dans les parois, un criquet lançait son appel d'amour.

Socrate contemplait la femme sous le soleil. Son chapeau rouge projetait une ombre écarlate sur ses traits. Elle défiait le monde, sans répit. Il essaya de se rappeler comme elle était, Theresa, mais cela faisait si longtemps... D'elle, il ne lui restait que cette reproduction de tableau et ce n'était pas la femme qu'il avait connue. D'elle, il ne gardait que des mots qu'elle

22

ne lui avait jamais dits : « Tu es mort pour moi, Socrate, aussi mort que ce pauvre gars et cette pauvre fille que tu as tués. »

Il se demandait si Darryl reviendrait un jour. Il espérait que oui.

Il passa dans l'autre pièce. Il n'y avait pas de porte. Il s'étendit sur le canapé. Juste au moment de sombrer dans le sommeil, il pensa à la manière dont il allait se réveiller, seul. En vieillissant, le coq s'était enroué. Son cri n'était plus qu'un murmure.

« Mais au moins il essayait, ce connard... »

Rencontre à minuit

1

— Moi j'pense qu'on devrait aller l'trouver tout de su...su...suite et lui flanquer une bastos dans la calebasse !

Sa main gauche paralysée en l'air, Right fit un geste incompréhensible avec son index atrophié.

— Non, mec, on peut pas faire ça ! protesta d'une voix plaintive Markham Peal tout en tirant sur le col de son tee-shirt, exposant la maigreur de son torse jaunâtre.

Right Burke et Stony Wile étaient assis par terre dans la pièce de Socrate Fortlow, dos contre le mur. Howard Shakur et Markham Peal s'étaient installés sur le canapé qui, une fois ouvert, servait de lit à leur hôte.

C'était la chambre d'un pauvre hère. Le papier mural, jadis rose, avait viré à un brun triste. Les lattes du plancher étaient cassées, disjointes. Le petit chauffage à gaz n'arrivait pas à réchauffer les lieux quand il faisait du vent, et pourtant le plafond était si bas qu'un homme de grande taille n'aurait pu se tenir debout.

Il n'y avait pas de fenêtres. Pas de voisins directs non plus dans la ruelle, sinon deux vieux magasins de meubles décatis.

La première année où il avait vécu là, Socrate avait adressé le loyer à un certain H. Price Landers qui recevait son courrier à une adresse d'Olympic Boulevard. La deuxième, ses mandats étaient revenus avec le cachet « Retour à l'expéditeur/ Pas d'adresse de réexpédition ». Socrate s'était dit que ce H. Price Landers était mort et que ses affaires, du moins pour l'instant, n'intéressaient plus personne.

— Hé, Right, on n'est même pas sûrs qu'il l'a vraiment fait ! protesta Stony Wile, un homme trapu, soudeur aux arsenaux d'East Saint Louis. C'est juste des on-dit, tout ça !

— Oh nooon, oh que non ! (Howard Shakur, dit « la Boule », secoua la tête, c'était le plus jeune de l'assemblée, et aussi le plus corpulent.) Ma doudou, elle raconte pas de craques ! C'que j'vous dis, elle l'a bien vu. Elle m'a dit qu'elle a vu Petis tomber sur LeRoy avec un schlass. Et ça, elle m'l'a dit bien avant qu'ils le retrouvent par terre, hein ? Si elle a vu LeRoy recevoir, sûr qu'elle a vu aussi celui qui lui a donné.

— Elle a pu s'tromper, rétorqua Stony. Faisait nuit. Faisait tard. Des hommes taillés comme Petis, y en a un paquet.

— Mais que c'était LeRoy, elle l'a bien vu, non ? Et qu'il était mort, même ? Comment qu'elle aurait pu ne pas s'tromper sur l'un et se gourer sur l'autre ?

— C'est des choses qu'arrivent, argumenta Stony.

— Bon, si elle l'a vu comme tu dis, qu'elle aille causer aux flics. C'est aux flics de régler son compte à un zig qu'a mal agi. Pas à nous !

Markham tordait son tee-shirt de plus belle. Il ne faisait pas chaud dans la pièce et pourtant la sueur perlait sur son front.

— Ma doudou, je l'envoie pas voir les flics, jamais ! protesta Howard, dont la tête oscilla sur ses épaules massives tandis qu'il ouvrait de grands yeux.

À quelques rues de là, quatre détonations claquèrent soudain. Les hommes contemplèrent le mur brun-rose devant eux un moment avant de revenir à leur conversation.

— Qu'est-ce t'en dis, toi, Socco ? demanda Stony.

Leur hôte se tenait dans l'embrasure sans porte qui séparait la pièce de la cuisine. Il écoutait ses voisins et amis, certes, mais restait plongé dans ses pensées. L'évocation de Petis et de son crime lui avait rappelé le souvenir d'un homme rencontré dans une prison de l'Indiana, jadis.

— Socrate ?

— Ouais ?

— Toute cette merde-là, t'en penses quoi ?

Socrate loucha vers eux, puis se frotta les yeux de ses énormes poings. Il regarda Howard. Ce type n'avait pas de cou mais il était si gros qu'il était doté de trois mentons. Et il n'aimait pas qu'on le dévisage de la sorte. Il répondit par un regard courroucé à celui de Socrate, qui finit par interroger :

— Winnie, elle a dit quoi d'autre ?

— Hein ? C'est quoi, c'te question ?

— Oui. Comme, disons : ils s'étaient battus ? Ou ça s'rait que LeRoy a dit quèqu'chose à Petis ? Pourquoi un bougre en étriperait un autre pour rien ?

— Il était en train d'le voler, Socco. Tu l'sais, ça.

— Non, j'le sais pas. Tout ce que j'sais, c'est c'que tu m'dis là. Winnie, elle a vu Petis en train d'voler LeRoy, c'est ça ?

— Un peu, oui ! (Howard joua de ses larges épaules en se redressant sur le canapé.) Il a sorti son schlass, il a attrapé LeRoy par sa chemise et il lui a dit d'abouler son fric. LeRoy, i'voulait pas, alors Petis i'lui a planté son couteau dans la gorge, et ensuite i'lui a retourné les poches de son falze pour prendre tout c'qu'il avait.

— C'est ça qu'elle a raconté, Winnie ? T'es sûr

qu'elle l'a pas entendu de toi et de Corina quand vous parliez de c'que vous veniez d'lire ?

— Ouais, sûr ! Je vous ai dit que Winnie, elle est venue d'abord me trouver, moi, en premier.

Le vrombissement d'un hélicoptère de la police grossit au-dessus de leurs têtes. À travers les minables parois de sa cahute, Socrate sentit passer l'air que brassaient les pales. L'appareil fit du surplace pendant une minute ou deux avant de s'éloigner.

— Les cognes, i'z'arrêtent pas de pla...pla...planer, s'exclama Right. Putain, s'i'redescendent sur terre un jour, p'têt' que Petis arrêtera un peu de massacrer à tour de bras pour s'ga...ga...gagner sa thune.

Comme Socrate le fixait toujours, Howard s'impatienta :

— Quoi ? Qu'est-ce tu r'gardes, là ?

— Tu voudrais qu'on fasse quoi, Howard ? demanda posément son aîné.

— Va falloir que j'y aille, les gars, annonça Markham, dont le tee-shirt était maintenant tout déchiré au col.

Mais personne ne lui prêta attention. Tous les yeux étaient posés sur Howard.

— J'sais pas, moi ! Winnie, elle vient m' trouver, elle me raconte c'qu'elle a vu. Elle était toute remuée, hein, alors j'me suis dit que j'devais faire quèqu' chose. Hé, et si Petis, c'était ce bougre qui tue tout le monde dans le quartier ? En tout cas, i'z'ont tous été poignardés... Au moins, j'voulais en causer à quelqu'un, moi.

— Cause aux flics, alors, lança Markham.

— Le flingue que j'ai dans ma table de nuit, la prochaine balle, elle est pour lui, annonça Right Burke.

C'était le plus âgé d'entre eux, dans les soixante-dix ans. Il avait combattu durant la Seconde Guerre mondiale. Après une embolie, il s'était retrouvé paralysé du côté gauche, en 1984. Depuis, il vivait chez

Luvia, une femme qui tenait une sorte de maison de retraite hors normes dans le quartier.

— Peut-être qu'on devrait juste en parler à tout le monde autour de nous, suggéra Stony. Peut-être que ça réglerait tout, présentement.

— Même moi je sais que ça réglerait rien, remarqua peureusement Markham.

Les autres exprimèrent leur approbation par quelques grommellements.

— Alors on devrait faire quoi, d'après toi ? demanda Right à Socrate. Toi, les bougres dans le genre de Pe... Pe... Petis, tu les connais. Tu crois que ça l'arrêtera, si on le dit à tout le monde ?

— Ce junkie-là ? Non !

— Tu crois que Howard doit emmener Winnie parler à la police ?

— Oh non, fit Socrate en secouant la tête. Rien qu'avec un avocat débutant, Petis peut faire envoyer le témoignage de cette 'tite à la poubelle. Il ira même pas jusqu'au procès tant qu'ils auront pas des preuves costaud. En moins d'une semaine, il se retrouvera libre comme l'air...

— Et il viendra frapper à ma porte, hein ? compléta Howard.

— P'têt pas, Howard. Les junkies, ils gardent pas rancune, en général : trop occupés à se trouver leur came, qu'ils sont !

— Bon, en tout cas, je mêle pas ma doudou à ça, moi. Je vais pas l'exposer rien qu'à cause d'un maboul.

— Faut le buter, déclara Right.

Markham lâcha un pet. Stony craqua une allumette et l'éteignit aussitôt, afin de couvrir l'odeur.

Avec tous ces hommes autour de lui, Socrate trouvait la pièce encore plus exiguë que d'habitude. Vingt-sept ans dans une prison de l'Indiana l'avaient préparé à la pauvreté dans laquelle il vivait, et cependant il aurait préféré disposer d'un espace moins limité.

Qui sait, il était peut-être temps de changer de toit ?

— C'est pas un choix facile, les gars, observa-t-il. Si c'est bien Petis qui vole et tue à tour de bras d'par chez nous, vous pouvez parier qu'i' s'arrêtera pas comme ça. Il a goûté au sang, le bougre. L'est là-dedans jusqu'au cou. Pas possible de lui parler, de l'mettre en garde, ou d'l'amocher, ou d'le livrer aux cognes...

— Juste c'que je di... di... disais présentement, approuva Right, la voix pleine de sous-entendus.

— Ça, mon frère, j'en sais rien, répliqua Socrate. Possible qu'on soit aux abois, mais on n'est pas des bêtes quand même ! Pas encore, du moins.

— Alors, c'est quoi qu'tu dis ? demanda Right. D'écraser ?

Socrate se creusait la tête pour trouver une réponse à la question de Right, et pourtant ce n'était pas la première fois qu'il y réfléchissait, loin de là. Bien avant que Howard et ses amis ne viennent le trouver, il avait repensé à Fitzroy. Et quand ils avaient commencé à parler de Petis, il avait compris aussitôt ce qu'ils voulaient.

Ils attendaient de lui qu'il tue Petis. N'était-il pas celui d'entre eux qui s'était déjà retrouvé en prison pour double meurtre ? Il devait savoir comment s'y prendre, lui...

Exactement comme avec Fitzroy.

Ce frappé de Fitzroy, qui se vantait d'avoir tué un homme et une femme de chaque race que la terre puisse compter. Qui violait le premier venu, histoire de montrer qui commandait. Ou qui lui cassait un bras, juste pour le plaisir d'entendre les os se briser.

Quand le chef des matons lui avait donné Clyde

Brown comme compagnon de cellule, cela avait été une manière de le récompenser de faire régner la terreur parmi les prisonniers.

Clyde, le roi de la cambriole dans tout l'État, était arrivé en taule plein de morgue et prêt à tirer son temps sans histoires. Johns, le maton en chef, avait décidé de le briser, pour des raisons qui n'appartenaient qu'à lui seul. Et Fitzroy aussi.

En quinze jours, Clyde avait perdu toute sa prestance. Il était devenu famélique. Son visage livide et terrorisé était couvert de bleus et d'entailles. Il avait été pris de tics, poussait des hurlements inexpliqués à n'importe quelle heure.

Comme la cellule de Fitzroy restait toujours ouverte, le garçon s'en était échappé une nuit. Socrate l'avait vu passer devant la sienne à pas de loup précipités. En larmes, il lançait des regards terrorisés derrière lui. On aurait dit que la mort était à ses trousses. Lorsque Fitzroy était apparu quelques minutes plus tard, il souriait. Il avançait très vite.

Le cri que le petit avait poussé cette nuit-là avait eu de quoi glacer le sang de tous les prisonniers. Même celui de Socrate.

Socrate n'était pas un ange. Il s'était montré brutal, souvent. Mais Fitzroy, c'était autre chose. Était-il si différent, pourtant ? C'était la question qui lui venait, tant d'années plus tard, en écoutant ses quatre amis...

Le soir suivant, Socrate avait leurré ses gardiens en bloquant une fourchette en acier dans la serrure de sa cellule, qui avait produit le même son que si le pêne se mettait en place. Une fois toutes les lumières éteintes, il avait poussé sa porte sans difficulté et s'était engagé dans le couloir.

Il était allé à la cellule de Fitzroy la tête vide. Tout ce qu'il savait, c'était qu'il devait mettre fin à ce qui se passait, là, tout près du cachot où il vivait. Oui, il le devait.

Clyde, entièrement nu, était prostré entre la cuvette des toilettes et le mur. Socrate n'aurait pu dire s'il essayait de se mettre à l'abri, ou si c'était Fitzroy qui voulait le voir dans ce coin.

Ce dernier était étendu sur sa couchette, sans chemise.

Si Socrate avait été en mesure de raisonner à cet instant, il aurait compris pourquoi les autres prisonniers craignaient Fitzroy à ce point. C'était un véritable géant, aux bras puissants, au vaste thorax. La peau de son ventre semblait tendue sur une massive barrique en chêne.

Il avait des mains gigantesques, lui aussi. Mais pas autant que celles de Socrate.

Levant la tête de son grabat, il avait fixé sur l'intrus des yeux couleur de boue. Ses lèvres abîmées avaient formé un sourire que toutes les cicatrices courant sur son visage paraissaient accompagner.

Une idée, une seule, s'était enfin formée dans le cerveau de Socrate : « Si jamais il a le temps de se mettre debout, j'suis cuit. »

Fitzroy commençait à se redresser que Socrate était déjà sur lui. Avant qu'il n'ait pu proférer un mot, il l'attaquait de ses poings, en une cascade de coups rapides. Avec ces paluches qui pouvaient briser des pierres, comme disaient les autres.

Clyde avait grimacé un sourire en entendant le bruit d'une vertèbre se rompant.

— C'que j'dis, prononça Socrate en fixant l'ancien combattant dans les yeux, c'est que pour les gens civilisés, tuer, c'est pas une solution. C'que j'dis, c'est que même si t'as raison, ça lavera pas le sang que t'auras sur les mains.

Les hommes écoutaient, Stony allant jusqu'à hocher la tête.

— Donc, y a rien à faire, c'est bien ça ? demanda Markham.

— Hé, Markham, j'croyais que tu devais y aller, pas vrai ? remarqua Socrate d'un ton amical.

— Ouais, c't'à dire, j'pensais que, bon...

— Vas-y, vas-y, mon frère, l'encouragea Socrate tout en faisant un pas de côté pour libérer le passage vers la porte. P'têt' qu'on pourrait se faire une 'tite partie d'échecs, la s'maine qui vient ?

— Ouais, insista Right d'un ton moqueur, vas-y !

— Bon, faut comprendre, ma femme, elle s'attend à c'que j'rentre, quand même...

Ils restèrent silencieux tandis qu'il se levait du canapé, enfilait son pull, inspectait le canapé pour voir si rien n'était tombé de ses poches.

Quand il passa dans la cuisine, Markham trébucha. Personne ne dit un mot, personne ne fit mine d'aller voir s'il s'était fait mal. Personne ne rompit le silence jusqu'au moment où ils entendirent la porte de dehors se refermer en claquant.

2

— Putain ! s'exclama Right. Ce trouillard, i' trouve rien d'autre que courir chez lui voir sa meuf. Hé, il devrait lui dire de venir ici, elle !

— J'en sais rien, mec... (Stony toussa, passa une main dans son épaisse chevelure poivre et sel.) P'têt' qu'il a raison, Markham. Des camés et des tueurs, on peut faire quoi contre eux, nous ?

— Oh oui, approuva Socrate. Markham, i'sait c'qui est dans son pouvoir et c'qui l'est pas, au moins. Au moins ça. Moi, j'demande rien d'autre à un bougre : qu'i' me dise où il en est, sans baratin. I'm' dit où il en est et moi, comme ça, je sais où j'vais...

Alors que Stony et Right approuvaient du bonnet,

Howard resta immobile. Le scepticisme et la peur se lisaient dans ses yeux. Socrate compléta :

— Pasque le maçon, c'est au pied du mur qu'on l'voit, pas vrai ?

— Et ça voudrait dire quoi, ça ? demanda Howard.

— Le plus gros problème de l'homme noir, c'est quoi ? interrogea Socrate comme si la réponse coulait de source.

— La femme noire, rétorqua Right.

Ils éclatèrent tous de rire, même Socrate.

— La police, suggéra Howard.

— Ouais, ouais, concéda Socrate en souriant, ça, c'est toujours des embrouilles dans la rue, et à la maison pareil. Mais c'est pas l'vrai problème, tout ça. Pas vraiment l'vrai.

— Alors, c'est quoi ? insista Stony.

— Être un homme. C'est ça, l'problème. Se lever et dire c'qu'on veut et c'qu'on veut pas, c'qu'on voudra jamais.

— Et dire ça à qui ? s'étonna Right. À la police ?

— Pour quèqu'chose dans le genre de quoi on parle présentement, les flics, non, j'y crois pas, mais pas du tout, affirma Socrate. Quand un Noir est matraqué par les flics, aussi fielleux qu'i'soit, c'est un malheur pour nous tous. Aller trouver les flics à cause d'un frère, c'est comme si on cherchait à s'faire remettre les chaînes. C'est c'que j' crois, moi.

— Eh ben eh ben... (Stony avait les sourcils froncés, il cherchait à comprendre.) Alors, à qui on l'dirait ? Si c'est pas aux bourres, à qui ? À un prêtre ?

Socrate se contenta de le regarder.

— Moi j'sais, annonça Howard.

— Tu sais quoi ? lui demanda Stony.

— C'est Petis qu'on va aller trouver. À nous, i'causera, pour sûr.

Socrate eut un bref sourire, tel un enseignant approuvant l'exposé de son élève.

— Mais nan ! protesta Right. Causer avec un a... a... assassin, ça servira à quoi ?

— C'est à lui qu'on en veut, expliqua Howard. C'est lui qu'a tout fait. C'est aussi simple que ça. On va trouver ce lascar et on lui dit qu'on sait ce qu'il est. On lui dit qu'on va pas écouter ses salades. On lui dit c'que t'as dit, Right. Qu'sa vie est pendue à un fil, pas plus.

— Vous marchez avec moi ? demanda Socrate à ses amis.

Aucun d'eux ne répondit non.

3

Le lendemain après-midi, ils allèrent parler à Petis. Ils se retrouvèrent derrière la dernière porte sur la gauche de Magnolia Terrace, une impasse en forme de fer à cheval qu'encadraient des appartements-bungalows de seconde zone. À ce moment, Socrate se tourna vers ses compagnons pour les prévenir :

— Vous m'laissez causer.

Puis il frappa et attendit. Frappa encore.

Sept ou huit gamins munis de tricycles en plastique faisaient des boucles sur le trottoir fendillé en face du quatorzième et dernier bungalow. Avec des cris perçants, ils s'éloignèrent rapidement. À l'idée de ces enfants jouant près du repaire d'un trafiquant de drogue, Socrate se tendit de tous ses muscles.

Derrière la porte, on demanda :

— Qui c'est ?

— C'est moi, Petis. Socrate Fortlow.

— Qu'est-ce tu veux, mec ? poursuivit la voix, enrouée, plaintive. J'suis en train de dormir, moi !

— J'avais idée d'causer pèze, Petis. Du pèze, et comment qu'on pourrait s'en faire, toi et moi.

Stony fit passer le poids de son corps d'une jambe

sur l'autre. Right se frotta le nez du dos de sa main paralysée.

Quand la porte s'ouvrit, les hommes, massés derrière Socrate, se mirent en garde devant Petis, qui ne portait qu'un tee-shirt blanc et un caleçon bleu. Mais s'il tenait la poignée dans sa main gauche, l'autre était crispée sur le manche d'un couteau de cuisine de quinze centimètres. La seconde d'hésitation qui s'écoula pendant qu'il se demandait s'il allait claquer la porte ou attaquer suffit à Socrate pour lui envoyer un uppercut foudroyant dans les tripes.

Le souffle que le choc lui arracha faisait penser à l'haleine d'un cadavre. Sa longue silhouette flasque partit en arrière avant de s'écrouler à terre. D'un bond, Socrate s'avança et fit voler d'un coup de pied le couteau de son poing.

Une fille surgit soudain d'un placard. Une adolescente à la peau brune, aux seins pointus, vêtue simplement d'un collant noir. Elle posait un regard interrogateur sur Socrate, comme si c'était pour elle qu'il était là.

— Rhabille-toi, fifille, lança-t-il, et tire-toi vite de là.

À terre, Petis était en train de vomir.

— J'croyais qu'tu voulais seulement lui causer, murmura Howard à l'oreille de Socrate.

— C'est c'que j'fais, Howard. Avec des ti'durs comme Petis, y a pas d'autre façon d'engager la conversation.

— C'est papa qui vous envoie ? demanda à Socrate la fille qui avait enfilé en hâte une robe courte.

Il la contempla un long moment avant de répondre :

— Ouais, ouais, c'est exact. Et maintenant, barre ton cul de là.

— Petis, qu'est-ce que vous allez lui faire ?

— Lui causer, c'est tout.

Cela dut lui paraître suffisant, puisqu'elle attrapa

son sac à main dans le placard et se fraya un chemin entre les hommes pour quitter les lieux.

— Fermez cette lourde, commanda Socrate quand la fille eut disparu.

La pièce était sombre, seulement traversée par quelques filets de lumière qui passaient entre des stores vénitiens décatis. Petis ne vomissait plus, mais il n'avait pas encore retrouvé son souffle.

L'un des visiteurs appuya sur l'interrupteur. L'ampoule nue qui pendait au plafond éclairait à peine.

En s'écartant de Petis, Socrate remarqua que le sol était tout glissant. Quelqu'un avait renversé une bouteille de soda à l'orange sans se donner la peine de nettoyer.

Dans un espace pas plus grand que le living de Socrate, l'unique mobilier était constitué d'une chaise en bois et d'un étroit matelas à rayures bleues et blanches. Socrate saisit Petis par le bras et le fit asseoir sur la chaise.

Il était jeune, mais sa peau était celle d'un vieillard : grisâtre, flasque, grêlée. Il n'y avait que du sombre dans ses yeux.

— On sait c'que t'as fait, Petis, commença Socrate.

— Hein ?

Socrate lui envoya une gifle si violente qu'il tomba à terre une nouvelle fois.

— Rassois-toi sur ce siège, 'ti.

— Mais je...

— Parle pas, Petis. Personne a envie de t'entendre, tu piges ? On est venus pour causer, nous. Tout c'que t'as à faire, c'est ouvrir les oreilles, là.

En reprenant son siège, Petis jeta un regard à la ronde, cherchant un moyen de s'enfuir. En désespoir de cause, il reporta son attention sur son imposant accusateur.

— On sait bien à quoi qu't'as été occupé, Petis. On a un témoin pour quand t'as tué LeRoy. On a délibéré, aussi... (Il fit une pause et sourit, du sourire le plus méchant dont il était capable. Les deux mains crispées sur son ventre, Petis lâcha un rot.) Un d'nous voulait te buter, tout bonnement. Un autre voulait aller trouver la flicaille. On devrait probablement te tuer, je dis pas... Mais en fin de compte on a décidé autrement.

— Décidé quoi ? demanda Petis d'une toute petite voix, pour éviter de recevoir un nouveau coup.

— Faut qu'tu bouges, 'ti.

— Qu'est-ce que tu causes ?

— Faut qu'tu bouges de là. Qu'tu disparaisses. Dans c' quartier, qu'on t' voie plus. Faut ça, sinon on t' crève.

— Mais j'ai rien fait, moi ! protesta Petis.

Socrate le gifla encore.

— J'ai rien fait ! répéta l'autre dans un sanglot bruyant.

Socrate le frappa.

— T'auras décanillé d'ici six heures ce soir, Petis. Six heures, ou bien on revient et on te saigne avec ton propre coutelas. (Socrate ramassa le couteau et le coinça dans la ceinture de son pantalon.) Hein ? Six heures ? (Une autre gifle.) J'cause pour qui, là ?

— D'ac, mec. D'ac. Mais faut qu'je dise adieu à ma mère d'abord.

— J'ai comme l'impression qu'tu piges pas, 'ti. J'veux te voir dans un bus pour partout sauf Watts, point. Autrement, j'vais te crever. Te crever, t'entends ? J'ai douze hommes derrière moi là-dessus, hé, camé ! Nous quatre, là, et encore huit d'notre groupe. On te voit, on te tue. Et c'est pas ta maman qui nous empêchera.

Petis s'était mis à trembler. Socrate resta longtemps à le fixer, longtemps. Il le détestait, de tout son corps. Enfin, il se retourna en lançant :

— Allez, on y va.

37

Ils attendirent dans la rue d'en face, postés près de la Buick de Howard. Quand Petis sortit et les aperçut, il rentra en courant dans son bungalow.

Au soir tombé, Socrate demanda à ses amis de s'en aller.

— Et qu'est-ce tu vas faire, Socco ? voulut savoir Right.

— Va chez toi retrouver Luvia, mon vieux. Vous tous, allez-y.

Il était à peine sept heures lorsqu'il vit Petis se faufiler à l'arrière des bungalows. Avant qu'il n'ait eu le temps de réagir, le junkie avait disparu.

L'appartement était vide. Socrate ne pouvait savoir si Petis était parti pour de bon ou pas : il n'y avait rien, alors comment décider s'il avait pris ses affaires ou les avait laissées ?

Socrate attendit toute la nuit. Assis dans l'obscurité, il pensait au pauvre Clyde. Le chef de la prison l'avait fait transférer dans un asile psychiatrique pour prisonniers. Il devait y être encore, tandis que Socrate attendait au milieu des ténèbres, le couteau serré dans son poing.

Petis n'était pas réapparu. Pendant plus d'un mois, on n'entendit plus parler de lui. Et quand des nouvelles circulèrent à son sujet, ce fut pour annoncer sa mort.

Le soir de leur visite, il s'était fondu dans la grande ville. Il n'avait aucun endroit où aller, mais il avait trop peur de revenir à Watts. Il avait mendié et couché dehors, dans le centre. Il avait dépouillé d'autres clochards, avait essayé de reprendre le trafic de drogue, sans succès. Enfin, il s'était fait prendre dans une bagarre avec un homme qu'il avait essayé de voler. Il ne se rendait pas compte à quel point il était devenu faible. Il n'avait pu se remettre de la raclée qu'il avait reçue.

À l'enterrement, Socrate regarda la mère de Petis pleurer.

4

— P'têt' qu'on pourrait se réunir régulièrement, en tant que groupe, pour causer de problèmes comme Petis ? suggéra Stony à Socrate un jour qu'ils jouaient aux échecs à South Park. La première fois, ça a bien marché.

— J'pense pas, Stony. Vraiment pas.

— Et pourquoi non ?

— On n'est pas comme qui dirait un gang, à tout faire ensemble, y compris baiser, mon vieux. C'est pas nous, ça. C'te fois-là, on a fait ce qu'il fallait. Mais tu vois, j'sais pas si j'aurais le cœur de recommencer.

Le voleur

1

Le snack de Yula était une plate-forme sur piliers en fer qui dominait un garage à ciel ouvert dont les grilles donnaient sur Slauson Street. Socrate aimait y aller au moins une fois par mois, le mardi, parce que ce jour-là on y servait des boulettes de viande aux pousses de moutarde. Le garage appartenait à Tony LaPort, qui louait l'espace au-dessus à Yula depuis bien avant leur mariage. Et Tony y trouvait si bien son compte qu'il avait continué à le lui louer alors que huit années s'étaient écoulées depuis leur divorce.

Comme il avait construit ce restaurant au temps où il était amoureux, c'était du travail bien fait. Il avait soudé ensemble deux grands autobus de ramassage scolaire, côte à côte. Le premier accueillait le comptoir où les clients prenaient place, le second servait de cuisine et de garde-manger. Une passerelle, en fer elle aussi, permettait d'accéder à l'entrée. Quand Yula fermait son établissement, elle remontait au moyen d'un treuil électrique, puis descendait par une échelle en bois dans l'atelier de Tony, sortait dans la rue et fermait les portes grillagées avec les gros cadenas qu'il avait prévus contre les voleurs.

Si cela ne suffisait pas à décourager les cambrioleurs, il y avait encore Tina, un molosse de cinquante kilos qui détestait l'ensemble du genre humain à l'exception de Yula et de Tony. Toute la nuit, Tina restait devant la porte, ses pattes avant croisées dans une prière muette pour qu'un insensé se décide enfin à s'aventurer sous ses crocs.

Cet après-midi-là, elle attendait encore quand Socrate s'apprêta à gravir la passerelle. Le grognement sourd qu'elle émit le conduisit à se demander s'il serait en mesure de lui défoncer le crâne avant que la bête n'ait le temps de lui bondir à la gorge, au cas où l'envie l'en prendrait. C'était une idée comme ça, le genre de questions qu'on se plaisait à considérer en prison. Sous les verrous, tout ce qui a trait à la survie est le seul véritable passe-temps que les hommes puissent trouver. Combien y a-t-il de manières de tuer quelqu'un ? En combat rapproché, qu'est-ce qui est le plus dangereux, un revolver ou un couteau ? Combien de temps peut-on rester sans respirer sous l'eau si les flics vous attendent sur la rive ? Dieu, il pardonne vraiment tous les péchés ? Ce genre de questions.

L'hypothèse d'avoir à tuer ce chien faisait tout simplement partie des habitudes de Socrate. Habitudes forgées par vingt-sept années passées derrière les barreaux, sur les cinquante-huit que comptait sa vie.

Pendant qu'il montait les marches en fer, il admira une fois encore toute cette construction. Il aimait l'impression de solidité que donnaient les structures en aluminium, pourtant si légères. Et il avait le cœur en joie en sentant le fumet des pousses de moutarde. Il avait déjà le goût des boulettes dans sa bouche...

41

2

— Oh meeerde ! cria Yula, le dos tourné à Socrate. Ces mouches, elles me laisseront donc jamais de répit, là !

— Z'avez qu'à pas faire d'aussi bon manger si vous voulez qu'on vous oublie, hé.

Socrate referma la porte bricolée du restaurant autobus. À quatre heures et demie, le snack était encore vide. Il venait toujours tôt, parce qu'il aimait dîner seul. Il alla s'asseoir sur le tabouret le plus proche de la patronne. La petite musique des pièces de monnaie s'entrechoquant dans la poche de sa vareuse militaire se fit entendre.

— Encore à ramasser ces canettes, alors ? demanda Yula en se retournant pour contempler son client.

Son visage était couleur d'ambre sombre, avec des taches de rousseur presque noires, surtout autour du nez. De larges hanches, des seins comme des pastèques. Trois dents en or décoraient son sourire. Et là, elle souriait à Socrate. Une main sur la taille, elle fit voler son tablier par-dessus sa tête en un arc de cercle qui vint frôler le comptoir.

Socrate n'avait d'yeux que pour ses seins. Un jour, Tony lui avait confié que la plupart des fois qu'il les avait vus, ces nénés, ils pointaient en avant tels des obus, un téton vers la gauche, l'autre vers la droite.

— Eh oui, finit-il pas répondre à sa question. J'ai tout un circuit, maintenant. Dans trois bars, i' gardent les bouteilles et les canettes rien que pour moi. Tout c'que j'ai à faire, c'est à les ramasser devant la porte deux fois par semaine. Rien qu'aujourd'hui, j'me suis gagné dix-sept dollars.

— Et messié Fortlow, y a pas un seul de ces jeunots qui traînent dehors à essayer d'vous les rafler, ces boutanches ?

— Oh que non. Pour un 'ti dur, récolter des bouteilles, c'est la honte. Et puis avec mon jean noir et ma veste d'armée j'ai pas d'couleur pour les exciter, ces taurillons ! Quand vous savez les prendre, i'vous laissent en paix, ceusses-là.

— Vous causez, vous causez, mais moi ces bougres-là i'm'font tourner cabri avec toute cette merde de musique de rap-là qu'i's'passent, et toutes ces armes, et toute cette drogue.

— J'ai vu pire. Vous savez pas que trois gars-là qu'habitent dans une 'tite rue sur Crenshaw, rien qu'aujourd'hui, à peine j'avais mon argent des canettes, i'sont venus m'chercher noise ?

— Vraiment ?

— Oh oui. Ces cinglés-là, i'croyaient m'avoir...

Sans rien ajouter, Socrate leva sa grosse main noire, dont chaque doigt avait l'épaisseur d'un gros cigare. Quand il serra le poing, les jointures firent saillie, quatre ailettes mortifères.

Yula était très impressionnée.

— I'vous ont fait du mal ?

Socrate baissa les yeux sur son avant-bras gauche. Sur le poignet, il y avait une plaie recousue et une tache sombre.

— Qu'est-ce que c'est ? s'exclama Yula.

— Un de ces macaques avait une bouteille cassée. Enfin, il essaiera pas de m'recouper de sitôt.

— Il a blessé profond ?

— Pas tant.

— Vous êtes allé voir un médecin, messié Fortlow ?

— Nooon. J'suis rentré chez moi me nettoyer, ensuite j'ai réparé ma fichue veste. C'te veste, c'est à cause d'elle que j'lui ai cassé le bras, à c'bougre.

— Vous feriez mieux d'aller aux urgences, à l'hôpital. Ça pourrait bien s'infecter.

— J'ai nettoyé, j'vous dis.

— Mais vous pourriez attraper du mal, dites !

43

— Pas moi. À la prison, i' nous faisaient une injection antitétanos tous les ans. Là-bas, on risquait tout le temps d'attraper du mal, mais pas celui-là !

Socrate rit de bon cœur et s'accouda au comptoir. Il s'éclaircit la gorge, regarda Yula le contempler. Derrière elle, c'était la cuisine. Une longue plaque de cuisson, de grosses marmites de soupe de tomate au bœuf, de purée de pommes de terre, de côtes braisées, de poulet en sauce. Celle contenant les pousses de moutarde bouillait doucement sur le feu. Quant aux boulettes, Socrate le savait d'expérience, elles se trouvaient déjà dans des paniers à pain, tenues au chaud sur le four.

Dans le restaurant de Yula, il faisait chaud. Et plus chaud encore sous son regard.

Elle posa une main sur le bras de Socrate.

— Vous devriez pas être dans la rue à charrier des canettes, messié Fortlow, déclara-t-elle.

Sa voix faisait songer au bruit que font des couvertures rêches au contact l'une de l'autre.

— Hé, faut bien qu'je croûte, moi ! Et vous savez que l'travail, i's'trouve pas sous le sabot d'un cheval, hein... Enfin, j'peux être mauvais, soudainement. I's'-pourrait bien qu'un jour j'casse les dents à quèqu' patron, moi.

Yula étendit ses doigts sur ses puissantes jointures.

— Pourriez travailler ici même. Y a assez de place pour deux, derrière ce comptoir-ci.

En faisant un signe de tête pour accompagner son propos, elle révéla le bas de son cou, d'un ambre plus clair que son visage.

Cela lui rappela une autre femme. Une jeune fille, en vérité. Sa gorge délicate. Elle était morte sous la main que Yula était en train de caresser. Morte, alors qu'elle n'avait rien fait pour mériter ne fût-ce qu'une gifle. Il l'avait tuée, lui, et chaque jour qui passait il le regrettait un peu plus. Et cela durait depuis trente-

44

cinq ans. Il en était toujours plus triste mais elle n'en restait pas moins morte. Et il continuait à se demander pourquoi, pourquoi.

— Sais pas, finit-il par articuler.

— Savez pas quoi ?

— J'sais pas quoi dire, là.

— Et y a tant que ça à dire, hé ? Vous n'auriez qu'à dire « oui », et voilà ! Vous êtes loin d'être riche, i'vous faut travailler pour vivre. Et Dieu m'est témoin que j'aurais bien besoin de vous, ma foi.

— Faut que j'y réfléchisse.

— Réfléchir à quoi ? (En un clin d'œil, Yula s'était emportée.) Réfléchir ? Oh, moi j'vous propose juste de vous tirer du trou dans lequel vous êtes, présentement. Une vie, que j'vous offre ! Regardez voir un peu autour de vous, messié Fortlow. Dehors, dans la rue. Des choix, vous en voyez ? Non, vu qu'y en a pas. Alors y a rien à réfléchir !

Socrate n'avait pas besoin du conseil. Il savait que les places étaient plus que rares. Il connaissait les visages noirs et bruns des malheureux et des malheureuses sans ressources. Dans tout ce secteur, le restaurant de Yula et le garage de Tony étaient les seules affaires encore en activité.

Et ce job de rapporter les bouteilles et les canettes vides chez Ralph, le supermarché de Crenshaw Street ? Il le haïssait, à franchement parler. Il était obligé de parcourir des kilomètres en remorquant derrière lui pas moins de trois chariots reliés entre eux par des cintres métalliques tordus. Et une fois arrivé au magasin, ils se débrouillaient toujours pour le laisser attendre, planté sur le trottoir pendant qu'ils prenaient leur pause-café en échangeant des blagues oiseuses. Et ensuite, ils vérifiaient les canettes et les bouteilles, une par une, ce qui était complètement inutile puisqu'il savait très bien, lui, Socrate, celles qu'il fallait rapporter et celles qui ne les intéressaient pas. Il les livrait deux fois par semaine et jamais encore, jamais, on n'avait retrouvé une seule bouteille de Kessler's Root Beer ou de Bubble-Up dans le tas. Et pourtant ils continuaient à inspecter chaque chargement, comme si de rien n'était. Et ils n'avaient jamais pris la peine de lui demander son nom : ils se contentaient de l'appeler « Pop », ou « le Vieux ». Ils le faisaient attendre et vérifiaient tout comme s'il était une vulgaire bête de somme.

Mais il acceptait. Et il continuait. C'était pour la gorge soyeuse de cette fille, et pour les yeux sans vie de son petit ami. D'accord, les jeunes employés du supermarché étaient idiots, prétentieux, méprisants. Mais lui, il était pire encore. Il était le mal en personne. En tout cas, c'était ce qu'il pensait. Ce qu'il croyait, de toute son âme.

— Alors ? insista Yula.

— Je... J'voudrais bien des boulettes, Yula. Des boulettes avec de la purée et des légumes.

Du fond de son larynx, elle maugréa :

— Maudit soit...

3

Socrate se sentait déprimé mais son appétit n'en souffrait aucunement. Dans son enfance, il avait appris que le prochain repas n'est jamais assuré, que seul un imbécile ne mangeait pas à satiété lorsqu'il en avait l'occasion.

Il engloutit bruyamment ses boulettes et la purée arrosées de sauce au poivre rouge, ainsi que les pousses de moutarde. Une fois rassasié, il jeta un regard de l'autre côté du comptoir, espérant croiser celui de Yula. Habituellement, elle n'aurait pas tardé à lui sourire et à le complimenter sur son solide coup de four-

46

chette. « Vous mangez pour de vrai mais vous le laissez pas tourner en graisse ! » aurait-elle lancé en posant des yeux admiratifs sur ses gros muscles.

Mais cette fois elle lui en voulait d'avoir décliné son offre si grossièrement. À quoi bon nourrir cet animal si elle ne le gardait pas avec elle ?

— Hé, tenta Socrate.

— Vous voulez quoi ?

C'était une menace, plus qu'une question.

— Un 'ti café, la belle ?

Elle posa brutalement une tasse sur le bar, maniant la cafetière en Pyrex avec tant de rage qu'elle en renversa la moitié en servant. Socrate, pourtant, ne s'en souciait guère. Comme il avait encore faim, il rajouta dans son café le contenu de deux petits pots à lait qui se trouvaient à sa portée.

Dans la poche droite de sa vareuse, il avait un peu moins de trois dollars en petites pièces. Deux dollars cinquante pour le repas, vingt-cinq cents de pourboire. C'était beaucoup d'argent quand toute sa fortune atteignait dix-sept dollars et quelques, certes, mais il se sentait encore le ventre creux. Et le fumet des boulettes était plus appétissant que jamais.

Yula mettait de la sauge dans ses boulettes de viande. C'était un plat qu'il ne pouvait préparer chez lui : on ne réalise pas un tel mets sur une simple plaque électrique, et il n'avait rien d'autre.

— Yula !

Socrate se tourna pour observer le garçon qui venait d'entrer dans la carcasse de bus. Il portait un survêtement bleu électrique zippé jusqu'au menton, un bandeau jaune vif autour du crâne.

— Wilfred.

La voix de Yula restait tendue.

— Comment va la vie ? fit le garçon.

— Plutôt bien, si t'en oublies la moitié.

— Ouais, murmura-t-il distraitement. Et Tony, où qu'il est, aujourd'hui ?

— On est mardi, vrai ?

— Ouais.

— Alors, Tony sera à la Congrégation du Christ, rapport à la partie de bingo.

Wilfred prit place au bout du comptoir, à cinq tabourets de Socrate. En croisant le regard de celui-ci, il fit un bref signe de la tête, comme les Noirs en ont l'habitude. Puis il annonça :

— J'me sens une faim comme rarement, Yula. J'ai deux jambes vides à remplir, c't'à vrai dire !

— Qu'est-ce que tu voudrais ? demanda-t-elle, aucunement intéressée par l'histoire que de toute évidence il rêvait de raconter.

— Z'auriez pas un steak dans la glacière, par là ?

— Et merde !

Si elle ne s'était pas trouvée dans son propre restaurant, elle en aurait craché par terre.

— Bon, bon ! J'vais vous dire quoi : j'voudrais du poulet, des côtes braisées et puis deux bonnes grosses parts de boulettes, tout ça sur une grande assiette.

— Tout n'est pas au menu, hé !

— Eh bien comptez-moi un repas pour chaque !

Dans les yeux de Yula, la colère fit place à l'étonnement.

— Mais dans un repas, y a qu'une part de boulettes...

— Alors facturez-moi les deux, chérie. Pour ce repas que j'vais faire là, j'ai tout l'argent qu'i' faut !

Yula le fixa jusqu'à ce qu'il sorte de sa poche une liasse de billets de vingt dollars, qu'il brandit en ajoutant :

— Et pas d'légumes avec, bien vrai ? Vous savez que

je bosse de mes mains, moi. I'm'faut des forces. D'la bidoche, i'm'faut.

Yula repartit dans la cuisine pour préparer la commande du type. Socrate buvait son café à petites gorgées.

— Hé, mon frère ! l'interpella Wilfred.

Socrate leva les yeux de sa tasse.

— Comment va ? tenta le nouveau venu.

— Bien, faut croire.

— « Faut croire » ?

— Hé, ça dépend.

— Ça dépend de quoi ?

— De ce qui arrivera ensuite.

Lorsque Wilfred sourit, Socrate remarqua qu'il lui manquait une incisive.

— Vous vivez au jour le jour, comme qui dirait ?

— Ouais, c'est à peu près ça.

— Moi aussi, avant. Y a longtemps. Enfin, jusqu'à c'que j'me dégote un bon job.

Se redressant sur son tabouret au risque de perdre l'équilibre, Wilfred lança un regard d'expectative à son aîné, comme s'il attendait qu'il lui pose une question. Mais Socrate continua à siroter son café. Il pensait à la perspective de commander une autre portion de boulettes, et aux pièces dans sa poche, et aux tétons de Yula, et à cette fille morte depuis des lustres. Dans sa tête, il n'y avait pas de place pour ce que voulait raconter ce jeune gars.

À ce moment, Yula réapparut avec une assiettée de viande. Une platée fumante, comme sortie des rêves que Socrate pouvait faire quand il était encore à purger sa peine en prison.

— Mettez ça là, Yula, demanda Wilfred en désignant du doigt la place à côté de Socrate.

Il se leva pour venir s'installer devant sa commande.

Il était grand, dans les vingt ans. Il s'était rasé, ce matin-là : des coupures de rasoir apparaissaient sur ses joues et son cou. Son survêtement était trop large pour lui, ce qui intrigua Socrate car il était mince mais bien bâti, aussi. De toute évidence un « zonard », se dit-il en constatant la voracité avec laquelle il se jetait sur la nourriture.

— Tu t'appelles comment, mec ? l'interrogea Wilfred.

— Socrate.

— Socrate ? D'où t'as sorti un nom pareil ?

— On est d'la campagne, chez moi, et guère riches. Ma mère pouvait pas m'payer l'école, alors elle s'est dit que si elle me donnait le nom d'un bougre intelligent, j'le deviendrais p'têt, moi aussi.

— Je m'doutais bien que c'était quèqu'un de célèbre, nota Wilfred en se rengorgeant. Tu vois, j'suis pas taré, moi ! J'en connais un rayon. Jusque-là ! Bon, Wilfred, c'est le mien, d'nom.

Socrate huma longuement le parfum qui montait de l'assiette de son voisin. Il avait encore faim, ayant parcouru plus d'un kilomètre à pied pour chaque dollar gagné ce jour-là.

Son estomac grondait comme un chien enragé.

— Tu prendras quoi, Socco ? lui demanda Wilfred, qui appela Yula sans lui laisser le temps de répondre. Il mange quoi, mon frère, hein, Yula ? Amenez-lui tout c'qui est prêt. Je paie pour ça aussi.

Tandis qu'elle servait le second dîner de Socrate, Wilfred attrapa une côte de porc et entreprit de sucer l'os. Avec un grand sourire, il affirma :

— Y a que la femme noire qui peut cuisiner comme ça !

Socrate n'avait pas d'avis sur le sujet, mais la vue de l'assiette que Yula posa devant lui le réjouit.

4

Il ne saisit pas sa fourchette tout de suite. Il fixa son jeune bienfaiteur, longtemps.

— Merci.

— Ça va, mon frère. À l'attaque !

À la moitié de la deuxième portion de boulettes, Socrate sentit sa faim se calmer. Wilfred, qui avait dévoré ses quatre repas d'un coup, repoussa son assiette.

— Vous auriez pas un peu de patates douces, des fois ? cria-t-il à Yula.

— Ouais, répondit la patronne qui s'était assise sur une chaise dans la cuisine, une cigarette à la main, et prenait un peu de repos avant l'arrivée du gros de sa clientèle.

— Ramenez donc un plat de ça pour moi et mon ami ici présent.

Yula s'exécuta sans adresser un mot à Socrate. Il ne s'inquiéta pas de son silence.

S'il venait le mardi, quand Tony était sorti, c'est parce qu'il avait des vues sur Yula : quelques nuits ensemble, peut-être plus, allez savoir... Depuis sa sortie de prison, il n'avait pas touché une seule femme.

Et désormais il avait peur de ce que ses mains étaient capables de faire.

Yula, irascible de nature, n'arrivait pas à comprendre à quel point il redoutait ne fût-ce que de la désirer. Elle voulait un homme avec elle, là-haut, sur son perchoir, un homme capable de monter les caisses de margarine qu'elle n'arrivait pas à bouger, un homme qui saurait s'asseoir à côté d'elle dans la chaleur étouffante que dégageaient ses fours.

Mais s'il venait vivre là-haut, il finirait par faire du lard, à coup sûr...

— À quoi qu'tu penses, mon frère ? l'interrogea Wilfred.

— À ce qu'on a rien pour rien.

— Euh...p'têt' que si, des fois.

— Ouais... mais j'y crois pas.

Wilfred s'étant contenté de sourire, il poursuivit :

— Quel genre de travail t'as, Wilfred ?

— Je suis à mon compte. Dans l'business.

— Vraiment ? Et business comme quoi ?

Toujours souriant, le garçon voulut faire le coquet.

— D'après toi ?

— Moi, j'dirais comme voleur, répondit Socrate tout en piquant une patate douce et en l'enfournant toute chaude dans sa bouche.

Le sourire de Wilfred s'élargit encore, mais son regard devint froid.

— T'as quèqu' chose contre le fait d's'en tirer dans la vie ?

— Ça dépend.

— Ça dépend d' quoi ?

— De si c'est en agissant mal ou non.

— Chourer c'est chourer, mec. C'est toujours le même truc : toi t'as ça, moi j'te prends ça.

— Si tu l' dis.

— C'est c'que je dis, ouais. La fauche, pour celui qui attrape c'est bien et pour celui qui perd c'est mal. Y a pas à tortiller.

Socrate décida qu'il n'aimait pas ce Wilfred. Mais comme il avait l'estomac plein, il était d'humeur joueuse.

— Hé, si un bougre vole un pain pasqu'il crève la faim, pour moi c'est pas mal, pour personne. C'est le bon sens même, j'dirais.

— Ouais, t'as raison, reconnut Wilfred. Mais suppose que t'as faim d'une bonne vie ? D'une belle bara-

52

que avec une baignoire, pas rien que la douche. Suppose que t'as envie de belles grolles, et de chaussettes qui pètent pas à l'orteil la première fois que tu les mets ?

— Là encore, ça dépend.

— Ça dépend de quoi ? C'que je veux dépend de rien du tout, moi !

Le sourire de Wilfred avait disparu.

— P'têt' que non. Enfin, p'têt' que ton envie dépend de rien mais que comment tu t'y prends pour l'avoir, ça, ça dépend de quèqu' chose.

— Comme de quoi ?

— Bon, admettons qu'il existe un magasin où ils vendent cette « bonne vie » qui t'fait tant bicher. Elle est dans une boîte, dans leurs rayons, quèqu' part. Alors tu t'pointes et tu la voles. Là, j'pense que c'est okay, comme ça. Ça veut dire que l'bougre qu'avait la bonne vie te la laisse. C'est sympa, ça.

— Hé, putain ! protesta Wilfred. S'ils avaient la bonne vie dans une boîte comme tu dis, tu sais bien que j'leur en piquerais des mille et des cents ! J'me cale le cul sur Adams Street et j'les vends à moitié prix, recta !

— Ouais, ouais. Seulement la bonne vie on l'a pas en boîte, pas vrai ?

— Qu'est-ce que t'es en train d'essayer d'me dire, mec ?

Wilfred perdait patience. Socrate pensa qu'il était plein de générosité tant qu'il n'avait pas à regarder un homme en face.

— J'dis que c'te bonne vie que tu parles de voler, elle sort droit d'la maison d'ton propre frère. Ou bien tu voles un bougre comme moi, ou bien tu voles dans un magasin où j'vais, et à chaque fois qu'j'y vais j'paie un peu pour les caméras de sécurité, et pour les vigiles, et pour les tonnes d'assurances qu'i'doivent casquer sur c'que les gens leur piquent. Et alors pour payer tout ça i'font grimper et grimper les prix, avec un petite com' en plus pour nous remercier qu'tu les as volés.

Socrate s'attendait à ce que le garçon s'emporte. Il n'aurait pas été surpris qu'il sorte une arme. Mais dans ces parages il ne craignait pas un revolver. Il était plus costaud que Wilfred et la prison lui avait appris qu'au corps à corps une arme à feu vaut moins que de bons muscles.

Wilfred, cependant, était loin de se mettre en colère. Il éclata d'un bon rire, tapa sur l'épaule de Socrate en éprouvant sa robustesse et déclara :

— T'as pour sûr la langue bien affûtée, mon frère ! T'es aussi bon qu'un prédicateur quand i's'agit d'causer. Ou qu'un flic.

Il se leva. Socrate pivota sur son tabouret, prêt à se battre.

Sentant que la tension était montée, Yula sortit de sa cuisine, une cigarette coincée entre les lèvres.

Sans un mot, Wilfred se dépouilla de son survêtement en nylon. Il apparut vêtu d'un costume en tweed et d'un gilet de daim clair. Sur sa cravate en soie flottaient des nuages verts et dorés, avec quelques flocons rouges ici et là. Sa chemise était aussi blanche qu'une lessive dominicale.

— Alors, vous en pensez quoi ? demanda-t-il à la cantonade.

Yula poussa un grognement et repartit dans la cuisine. Ses vêtements importaient peu : il était trop maigre à son goût, de toute façon.

— Viens un peu voir par ici, lança Wilfred à Socrate. Dehors, par là.

Socrate s'approcha de la fenêtre du bus et s'accroupit pour regarder la rue en contrebas. Une voiture était garée, flambant neuve, un modèle d'importation qu'il ne reconnut pas mais qui lui parut très joli.

— C'est ma caisse, proclama-t-il.

— Et elle t'amène où ?

— Partout où j'veux. Mais mon truc, c'est surtout les galeries et les grands magasins de West Hollywood, Beverly Hills, Santa Monica et ainsi de suite. Voilà, j'dis à une de mes doudous de m'louer une bagnole. Ensuite, j'me sape à mort, avec par-dessus un survêt' ou p'têt' des fringues minables comme t'as présentement, ou autre chose. Quand on change de dégaine, on s'fait quasiment jamais reconnaître par des témoins, tu sais ça ? (Socrate l'avait déjà entendu dire en prison.) J'les coince dans le parking souterrain. (Il grimaçait de plaisir, savourant le goût de la violence.) J'leur mets ma lame contre le gosier, j'appuie fort et j'leur dis qu'ils sont cuits. Tu vois, si j'les fais saigner un peu, ça m'dérange pas. Putain, un jour, une petite Japonaise, je l'ai fait s'pisser dessus !

Wilfred s'interrompit. Il attendait un rire, une réaction. Comme rien ne venait, le crâneur revint s'asseoir au comptoir.

— T'aimes pas, alors. Dommage.

— Je me contrefiche de c'que tu fabriques, 'ti. (Raccoudé au bar, il attrapa les dernières gouttes de sauce avec sa cuillère.) J'peux pas empêcher un fou de continuer à canailler.

— J'suis pas fou, le vieux ! Et je canaille pas non plus. J'leur prends leur thune et j'les coupe un peu, juste pour qu'ils appellent un toubib avant de penser à rameuter les flics. Ensuite j'me tire et j'balance mes fringues de négro dans un coin. Alors quand les cognes se pointent j'suis dans ma belle caisse, en costard, direction la maison. Et si jamais ils m'arrêtent j'fais l'innocent, j'leur raconte de gros bobards comme quoi j'bosse dans une grande maison de disques, cadre même, que j'suis ! Alors, non, messié, je déconne pas, moi !

— C'est ça, c'est ça.

Socrate prit une autre patate douce après l'avoir

passée dans le beurre fondu et le miel qui se trouvaient au fond du plat. C'était à peu près la chose la plus succulente qu'il ait jamais goûtée.

— Mais ce salaud-là, i'va continuer à m'tourner le dos et à m'casser avec la bouche pleine du manger que j'lui paie ?

Wilfred était vraiment stupéfait.

— Tu m'as demandé déjà, et j'ai déjà répondu, 'ti. Je me fiche de ce que tu manigances. Mais ça signifie pas que je dois dire que c'est bien.

— De quoi qu'tu causes, mec ? Je vole rien à mon frère, moi ! Là où j'travaille, y a pas un seul pauvre nègre qui vit ! J'prends la bonne vie aux gus qui l'ont, exactement comme t'as dit.

— T'as appelé comment mes fringues, 'ti ? Minables, c'est ça ?

— Hé, mec, c'était juste pour parler.

— Oh non. Tu penses que j'suis minable, et qu'je pue, et qu'j'ai conscience de rien. C'est ça qu'tu penses. Tu vois pas que je reprise mes chaussettes et que mes fringues, elles sont propres. Tu vois pas qu'tu me marches dessus tout pareil que si j'étais un caca de chien. Tu t'en fous. Toi, tu t'sapes comme un singe savant et tu pars voler quèqu' pièces dans le sac d'une femme sans défense. Et puis tu t'pointes ici avec tes grandes dents, tu montres tes billets de vingt à tout va et tu causes, et tu fais l'beau... Et puis après, quand t'as fini ton cinéma, qui c'est qu'les gens regardent comme une merde ambulante ? Moi. Et i' sont tous cabrés contre moi, pasque toi t'es là-bas à faire semblant que c'est moi qui leur saute dessus dans leurs parkings de rupins.

Avec un rire contraint, Wilfred leva une main en l'air comme s'il s'avouait battu.

— T'es trop profond pour moi, mon frère. (Il souriait mais ne se méfiait pas moins de la violence qu'il

avait sentie sourdre dans les paroles de son aîné.)
Vraiment trop, trop profond.

— C'est toi qui fais ta frime, mec. C'est toi qui vas
voler l'homme blanc là-bas et qui m'fait retomber la
faute dessus, après. C'est toi qui veux singer le Blanc
avec tes costumes. Tu les détestes et tu t'habilles exactement comme ceux qu'tu détestes. Tu sais même pas
qui t'es, bordel !

Socrate se dominait pour ne pas bondir sur le garçon. Il tremblait, effrayé par ses propres mains.
Encore une fois.

— Qui j'suis je l'sais très bien, mon frère. Et la
dégaine que j'ai, elle est autrement mieux qu'la
tienne.

— Oh que non, répliqua Socrate, qui était en train
de retrouver son calme. Oh que non. T'es juste bien
fringué et tu t'empiffres comme un cochon. Mais
quand la note de tout ça arrive c'est à moi d'payer. À
moi et à tous les autres de mon espèce.

— Ah, d'accord, super ! hurla Wilfred. Seulement,
le seul à payer quèqu' chose, pour l'instant, c'est moi.
C'est pas moi qui t'a eu c'te bouffe que tu viens de
t'envoyer ? Enfin, si ça t' plaît pas, t'as qu'à t'la payer
toi-même !

Yula réapparut, cette fois avec une casserole d'eau
bouillante à la main.

— J'vais faire encore mieux que ça, 'ti : j'paie pour
tes quatre repas aussi.

— Hein ? s'exclamèrent en même temps Wilfred et
Yula.

— J'paie pour tout, ouais. Pour tout.

— T'es tête en bas, mec.

Socrate se leva. Soudain, il se baissa et ramassa les
vêtements que le garçon avait laissés sur le sol.

— Payer, faut toujours payer, Wilfred. Moi,
j'prends c'te note-là, présentement. L'autre, celle que
t'as là-bas, j'te la laisse.

Wilfred se força à rire en lui reprenant son camouflage des mains.

— Barre-toi d'ici, mec, prononça Socrate.

Un moment, la mort plana entre les deux hommes. Wilfred était plein de violence et d'amour-propre. Socrate, pour sa part, en avait assez de ceux qui se laissent guider par la violence et l'amour-propre.

Lorsqu'elle n'arriva plus à supporter toute cette tension, Yula cria :

— J'veux pas de grabuge ici, moi !

À nouveau, Wilfred sourit en hochant la tête.

— T'as gagné, mec. Mais t'es quand même secoué.

— Dégage de là. Maintenant.

Une dernière fois, le garçon soupesa ses chances. Il était sans doute plus rapide que le vieux. Mais l'espace était réduit. Quand on manque de place, la vitesse ne peut rivaliser avec la force.

Tout cela, Socrate pouvait le lire dans les yeux de Wilfred. Et il pensa : « Encore un de ces chiens fous qui croient que la liberté se trouve dans les ruelles mal éclairées. »

Wilfred pivota sur ses talons, descendit les quelques marches qui conduisaient à la passerelle et dévala vers la rue.

Socrate regarda la belle voiture s'éloigner.

5

— Z'êtes un grand malade, Socrate Fortlow, décréta Yula. Vous l'savez, ça ?

Elle était derrière le comptoir, face à dix-sept piles de quatre quarters. Dix-sept dollars en pièces.

— Quoi, vous devez être payée, non ?

— Mais pourquoi casquer pour lui ? D'l'argent, il en avait !

— Pour lui c'était un prêt, pas plus. À un taux trop rude pour moi.

— Vous êtes pas responsable de lui, i'm'semble.

— Là vous vous trompez, ma belle. J'paie tous les jours à cause de nègres pareils. Exactement comme son papa à lui a payé pour moi, dans l' temps.

— Vous êtes fou.

— Mais j'suis un fou motivé, au moins.

— Là, je vous suis pas, dit-elle. Puisque z'êtes si merveilleux, si travailleur et si bon gars, alors pourquoi vous venez pas bosser pour moi ici ? Ce s'rait pasque j'suis une femme ? Vous travaillez pas pour une femme, vous ?

Socrate se sentait en pleine forme. Il avait l'estomac bien rempli. Maintenant qu'il savait qu'il n'aurait pas à se battre, les muscles de ses bras s'étaient détendus. Il avait un peu mal au poignet, là où il avait reçu le coup de couteau, mais après tout, comme le médecin de la prison aimait à le dire, tant qu'il y a de la douleur, y a de la vie...

Il partit d'un bon rire.

— Pour être une femme, vous en êtes une ! J'ai bien vu qu'vous avez sorti cette marmite d'eau bouillante pour m'aider avec ce Wilfred-là. Z'êtes une sacrée femme, j'dirais, et à partir de maintenant j'viendrai tous les mardis que Dieu fait. Oh oui, j'viendrai vous voir et on causera, Momma. Oh oui. Pour me voir, vous allez m'voir !

Il se leva et déposa un baiser sur sa joue avant de s'en aller. Au moment où ses lèvres la touchaient, elle poussa une sorte de soupir étranglé. Chaque nuit, pendant le mois qui suivit, Socrate entendit ce son extasié dans ses rêves.

6

Sa fortune s'élevait désormais à soixante-trois cents. Un simple ticket de bus l'aurait mis sur la paille mais il était content de marcher, de toute façon. En route vers chez lui, il se dit qu'il devrait bien trouver un emploi quelque part. Un job où il ne risquerait pas sa peau pour avoir de quoi se payer un repas.

Deux poids, deux mesures

1

Il tombait une vraie pluie de L.A. : dure, implaca-
ble. Socrate se hâta de rejoindre un abribus vitré dont
les parois avaient été vandalisées mais qui gardait
encore son toit. Dans le triste crépuscule, il attendit le
car, parce qu'il était glacé jusqu'aux os. Encore cinq
kilomètres sous ce déluge et cela aurait sans doute été
sa dernière marche.

De l'autre côté de la rue, deux amoureux s'étaient
réfugiés sous un porche. Ou elle, du moins, était abri-
tée par la corniche en adobe qui surplombait la porte
d'un magasin désaffecté. Une ancienne boulangerie,
se dit Socrate en notant le fond de damiers bleus et
blancs sur l'enseigne délavée, et les quelques lettres
encore visibles : HEL.

Une boulangerie, oui. En lui-même, il voyait les
femmes et les hommes noirs se lever à trois heures du
matin pour attendre sur cette même ligne d'autobus
afin d'être rendus au travail à quatre heures et demie.
Il croyait discerner la fatigue dans leurs yeux, les brus-
ques bâillements qui leur coupaient la parole lorsqu'ils essayaient de dire bonjour, les frissons de
fatigue dans leurs bras quand ils dépouillaient les
grosses machines à pétrir de leur housse, le goût amer

61

du premier café dans leur gorge. Une séquence aussi régulière, inévitable que ces damiers bleus et blancs. Chacun était un petit carreau, rigoureusement de la même taille que celui qui le précédait ou qui le suivait.

Et leur bulletin de salaire était lui aussi orné de carreaux bleus et blancs, Socrate en aurait juré. Une boulangerie, c'était une affaire rentable pour tout le monde car les employés travaillaient dur tout le jour et tous les jours.

Penser à la prospérité de ces Noirs le mettait en joie. Des bosseurs qui gagnaient bien leur vie, reprenaient le bus pour rejoindre leur petite maison sur Central Avenue, envoyaient leurs gamins à l'école... Il sourit à cette idée. Ses yeux se reportèrent sur les amants devant la boutique abandonnée.

L'homme était corpulent, avec déjà de l'embonpoint. Il paraissait indifférent à la pluie qui, cascadant de la corniche, lui trempait le dos. Courbé au-dessus de la femme il la dévorait de baisers, la caressait, la pressait contre la porte. Elle, elle s'accrochait des deux mains à son cou massif, et se tractait vers le haut pour retrouver les lèvres de son chéri les rares fois où il se reculait un peu afin de la regarder.

La violence de la pluie faisait contrepoint à leurs étreintes passionnées. Ils se prenaient à pleine bouche, activaient leurs mains en tous sens comme des mendiants aveugles tâtonnant à la recherche d'une pièce de monnaie égarée.

— Ralphie !

Elle avait crié, mais Socrate l'entendit à peine dans le fracas de l'averse.

Brusquement, Ralphie se rejeta en arrière, la soulevant contre lui jusqu'à ce qu'elle puisse enrouler les jambes autour de sa taille. Elle portait une jupe courte, ses cuisses étaient nues. De sa place, Socrate n'aurait pu dire si elle avait une culotte.

La jeune femme posa sa tête sur l'épaule de Ralphie, la bouche contre son oreille.

Étonnamment, tout semblait concorder dans cette scène : la pluie, le magasin fermé, les amants profitant de la rue déserte et de la lumière déclinante.

Il se tourna, soucieux de ne pas troubler cette étrange intimité. Il vit un bus qui descendait l'avenue et plissa les yeux, espérant qu'il s'agissait du sien. Il avait hâte d'être rentré chez lui.

2

— Ralphie ! Ralphie ! hurla la jeune femme.

Socrate se força à regarder le bus qui arrivait.

— Ralphie, c'est le mien, chéri !

Le couple traversa la rue en sautant les flaques, attaqué sans pitié par les gouttes glacées.

Arrivée sous l'abri, elle tira sa jupe vers le bas, rejeta en arrière ses cheveux défrisés, poudrés d'or. Leurs regards se croisèrent mais elle ne prêtait pas attention à Socrate. Son sourire ne lui était pas destiné. Pourtant, il prenait plaisir à contempler ses yeux sombres et pétillants, l'assurance triomphante qui émanait de son corps.

Ralphie était occupé à dissimuler autant que possible son érection sous son pantalon. Quand elle tendit une main pour l'y aider, il la repoussa en lançant un coup d'œil gêné à Socrate.

— Ouais, c'est le 86A, annonça la fille en montrant le bus du doigt.

Pas celui de Socrate, donc.

— Pourquoi t'attendrais pas le prochain ? demanda Ralphie d'un ton sec et abattu à la fois.

Le véhicule était à quelques dizaines de mètres, fonçant vers l'arrêt.

— Allez, Linda ! insista-t-il. Reste un peu !

Même dans cet échange anodin, il y avait du sexe dans l'air : l'homme qui quémande, et Linda qui... Qui aurait voulu lui donner, mais qui ne pouvait pas, qui devait attraper ce bus, et qui avait donc décidé de savourer la tendre blessure qu'elle infligeait ainsi à son amant.

— Faut que j'y aille, Ralphie, expliqua-t-elle d'une voix aussi froide que la pluie. Mais je te vois mardi, vrai ?

Le bus s'immobilisa dans un grincement de freins.

— Reste, l'implora-t-il en lui prenant une main.

La porte coulissante s'ouvrit. Linda monta sur le marchepied.

— Allez, on se dépêche ! fit le chauffeur.

Les pieds en équilibre, le corps à moitié à l'extérieur, elle se débattait pour échapper aux bras de l'homme.

— Allez, Ralphie, laisse-moi ! cria-t-elle comme une gosse essayant d'attirer l'attention des adultes sur son compagnon de jeu.

Elle n'aurait rien pu faire contre son emprise, car ses mains étaient presque aussi énormes que celles de Socrate, mais il se résolut à la lâcher et elle tomba à la renverse dans le bus, dont les portes se refermèrent sur-le-champ.

— À mardi ! lança Ralphie en direction du véhicule qui reprenait déjà sa course.

Le colosse se hissa sur la pointe des pieds, tentant d'apercevoir une dernière fois sa bonne amie par la fenêtre. Mais la pluie tombait trop dru, et le bus avait pris un angle qui lui bouchait la vue. Même par temps clair, sa tentative serait restée vaine.

« Ralphie ? » se dit Socrate.

3

De plus près, il distinguait maintenant les traits de cette grosse tête ovale. Une forme d'œuf parfaite, ce crâne, avec des yeux globuleux et une grande bouche sensuelle que les ardents baisers de Linda, pensa Socrate, avaient gonflée plus encore que de nature. Le jeune homme choisit d'ignorer l'autre Noir qui attendait près de lui. Ce n'était pas surprenant : le pantalon de Socrate, délavé et taché, était sérieusement reprisé aux genoux, et même sous sa vareuse militaire son tee-shirt à rayures rouges lui donnait l'air d'un vieux fou. Pour couronner le tout, la casquette de pêcheur avec « Fisherman's Wharf » brodé sur la visière complétait la panoplie typique du clodo. Ou plutôt d'un « sans-abri », selon l'euphémisme des années quatre-vingt-dix.

Socrate aimait parler aux gens, certes, mais il n'avait aucune envie d'engager la conversation avec Ralphie. Il n'aurait rien tenté si son bus était enfin arrivé, si la pluie s'était arrêtée et lui avait permis de reprendre sa marche, si Ralphie avait eu au moins un signe de tête, ou un petit mot qui lui aurait permis de sentir qu'il appartenait encore au genre humain.

À une autre époque, Socrate aurait été capable de tomber à bras raccourcis sur un homme qui l'aurait ignoré aussi délibérément que Ralphie était en train de le faire.

Socrate Fortlow était un violent. Il attaquait dur, rendait coup pour coup. La fureur qui l'habitait l'avait conduit en prison mais aucune autorité pénitentiaire n'avait été capable de l'éteindre, cette rage.

Il fixa Ralphie droit dans les yeux. Il lui donnait une dernière chance de se montrer un peu civil. Ralphie resta aussi impassible que si c'était un chien des rues qui l'observait.

— Ton dos a pris une drôle de saucée, mon frère, finit-il par dire, prouvant ainsi qu'il était doué de la parole.

Le jeune homme le regarda, fronça le nez et secoua la tête.

— Écoute, mec, commença-t-il en pointant un doigt sur lui. J'te laisse rester là pasqu'avec une pluie pareille j'voudrais voir personne dehors. Mais que tu m'causes, ça, j'veux pas. Pigé ? (Socrate sourit.) Tu ris de quoi, négro ?

— Oh, ah, chantonna Socrate. J'trouve ça poilant, c'est tout.

— Quoi, poilant ?

Ralphie fit un pas vers lui. Un autre que Socrate aurait pris peur face à cette masse de chair. Pas lui.

— J'sais pas. C'est que, hein, tu me traites de négro, mais qui c'est qui fait le négro avec sa dame et ses gosses ? Toi. J'veux dire, te v'là dans la rue avec tes mains partout sur une fillette alors que t'as une bonne femme qui t'attend à la maison.

« Si un Noir peut devenir blanc, eh ben l'Ralphie il aurait pu s'faire élire président des États-Unis à c't' instant même », allait raconter Socrate à son ami Right Burke quinze jours après.

Les yeux exorbités, Ralphie parut sur le point de perdre l'équilibre. D'un bras, il voulut se retenir à la paroi de l'abribus, rencontra le vide au lieu de la vitre depuis longtemps disparue et trébucha de côté.

Socrate le rattrapa et l'aida à reprendre son aplomb.

— De quoi qu'tu causes, toi ? aboya Ralphie en repoussant les deux mains, les deux battoirs.

Nouveau sourire de Socrate.

— Tu sais très bien de quoi j'cause, présentement. T'es Ralphie McPhee, non ? Si, si, c'est toi.

— Mais qui t'es, toi ? protesta Ralphie, estomaqué.

— Quelle importance ? Y a une minute, tu m'aurais pas adressé la parole, maintenant tu veux des présentations ?

— Déconne pas avec moi, l'vieux. J'voudrais pas avoir à t'défoncer.

— Essaie et tu pourras plus jamais défoncer cette petite doudou avec qui t'étais.

Depuis sa sortie de prison, il essayait d'éviter les grossièretés mais il savait aussi qu'il devait se montrer assez ferme avant que Ralphie ne commette l'erreur de déclencher une bagarre. Et sa tactique marcha.

Ralphie dévisagea Socrate et ce qu'il vit lui suffit. C'était quelque chose que les pauvres hères toujours menacés par le grabuge reconnaissent d'instinct, sans même avoir besoin de lui donner un nom. Et Socrate savait ce qu'il avait vu : la résolution forgée dans l'adversité. Socrate était prêt à tout, il en avait parfaitement conscience et Ralphie venait de le comprendre aussi.

— Va t'faire, l'vieux, dit celui-ci en reculant prudemment d'un pas. Va t'faire.

— Ah ouais ? Bon, dis-moi quèqu'chose, Ralphie.

N'obtenant pas de réponse, il poursuivit :

— Dis-moi comment ça s'fait que t'es là à t'conduire comme un négro et que tu m'vois même pas, moi ?

Ralphie ne l'écoutait pas. Il était trop occupé à mesurer ce qui risquait de lui arriver après avoir été surpris dans cette rue, sous ce porche.

— Hein ? fit-il dans son nez.

— Je dis, comment ça s'fait que t'es là à t'conduire comme un négro ?

— Mais de quoi qu'tu causes, vieux fou ?

— J'cause que t'es là, sur le trottoir, en train de tripoter une fillette juste devant un bougre qui vit à deux pas d'chez toi. Allez, réponds ! Et si j'allais trouver ta bonne dame et ton 'ti gars, comment qu'i's'appelle, déjà ? Ah ouais, Warren...

Ce fut seulement en entendant le nom de son fils que Ralphie commença à éprouver une vraie peur.

— Hé, toi ! C'est pas tes putains d'affaires, hé !

— Ah non ?

— Absolument pas. Alors tu f'rais aussi bien de fermer ta goule et d'oublier c'que tu crois savoir. Pasqu'en fait, tu sais rien de rien sur moi !

— Oh si, oh que si. J'en sais long sur toi. En long et en travers.

— Hé ! (Ralphie fit une sorte de mouvement de brasse avec ses deux bras.) Tu cherches à déconner avec moi, j'te pète la tête, moi !

— Tu m'touches, avertit Socrate, un doigt tendu vers le trottoir sombre à leurs pieds, et j'te laisse cadavré sur c'béton, là.

Ralphie le vit plonger une main dans la poche de son pantalon, il aperçut l'éclat vitreux qui passait dans les yeux du vieil homme. Il recula en silence, n'émettant qu'un hoquet qu'il n'était pas arrivé à réprimer.

À ce moment, une patrouille de police passa lentement devant eux. À travers les vitres maculées de pluie, deux visages blancs scrutaient les deux silhouettes noires. Un projecteur s'alluma, la voiture ralentit encore, faillit s'arrêter puis repartit sans bruit.

« La pluie, pensa Socrate. Veulent pas s'mouiller, les 'ti gars. »

4

— Alors, ma question, t'y réponds ?

— Tu cherches quoi, mec ? Tu veux un ou deux dol' ?

— J'veux savoir c' que t'as contre ta femme, euh... Ouais, Angel, elle s'appelle.

Socrate vit le jeune homme chanceler sous ce nom, se tasser. Il tenta de protester :

— Mais j'sais même pas qui t'es, mec !

— Exact. J'suis là, tout près, et tu m'vois même pas ! Tu pourrais pas dire ne s'rait-ce que : « Hé, mon frère, ça gaze ? » Toi tu m'vois pas, mais moi si, et comment !

— Et alors, tu veux quoi ?

Plus que la question, c'était la souffrance dans la voix de Ralphie qui stoppa Socrate. Net. Il pensa aux employés de la boulangerie qu'il avait imaginés tout à l'heure et qui auraient pu le voir, maintenant. Il pensa à tous les projets qu'il avait formés en espérant qu'on le laisse un jour sortir de prison. Il pensa au froid dans son cœur, à l'installation électrique dans sa masure qui n'aurait pu supporter un radiateur d'appoint... Des centaines d'idées fusaient à travers son cerveau, mais aucune d'elles ne le ramenait à Ralphie. À Linda, peut-être. Oui, à ses jambes brunes, nues, enroulées autour de l'homme. Elle, peut-être...

— Et alors ? répéta Ralphie. Tu vas rester là longtemps, à regarder la pluie tomber ?

Socrate reporta son attention sur lui. Pantalon noir, chemise blanche au col ouvert, qui laissait entrevoir un tee-shirt jauni. Un imper d'un vert terne que l'eau rendait presque noir.

La chemise prouvait qu'il avait un emploi. Dans un bureau, ou un commerce.

Il travaillait, lui aussi...

— Alors ?

Socrate se souvint d'une promesse qu'il s'était faite à lui-même. Un sombre serment. Il s'était juré de ne plus jamais attaquer physiquement quiconque, sauf en cas de légitime défense. Il s'était convaincu de le respecter au cas où l'occasion se présenterait. Ce serait sa manière d'atténuer les forfaits qu'il avait commis jadis, au temps où le mal dominait sa vie.

Le bruit de la pluie était devenu si assourdissant qu'il éprouva le besoin urgent d'entendre sa voix.

— Pardon.

— Hein ?

— J'ai dit pardon.

Il essaya de se rappeler la dernière fois où il avait présenté des excuses. Il regrettait amèrement les crimes de sa jeunesse, il sanglotait comme un enfant à l'idée du couple qu'il avait massacré. Mais cela, c'était avec des morts. Non, devant un être vivant, cela ne lui était encore jamais arrivé.

— Qu'est-ce que ça signifie, ça ? « Pardon » ?

— J'étais juste en rogne, voilà. À cause que ni toi ni ta doudou vous m'avez vu, tout à l'heure. Ouais, ouais, c'est tout.

Ralphie était décontenancé. Malgré ses efforts pour rester en colère, son visage ne révélait que l'étonnement. Il ne savait plus s'il devait parler, ou frapper.

De très loin, Socrate aperçut un bus approcher.

— Tu comprends, j'pensais à Angel et à Warren. Au mal que tu leur causes. Mais en fait, c'est pas vraiment ça. Ou pas qu'ça, disons.

— Et qu'est-ce que tu sais de c'que j'fais à ma femme et à mon gosse, putain de putain ?

Socrate regardait l'autobus arriver par-dessus l'épaule de Ralphie. Il distinguait le pare-brise violemment éclairé. On aurait dit un chariot de feu dans la pluie.

— J'voulais pas t'manquer de respect, fils, expliqua-t-il posément. C'est juste que t'es un brin près de chez toi ici, hein ? Des gens qui t'connaissent passent dans cette rue. S'ils te voient avec cette fillette, Angel en aura d'la peine, et y a aucune raison pour ça, tu l'sais. Ou si ?

Le bus s'était arrêté à un feu rouge.

— C'est pas à elle de dire c'que je peux faire ou pas, finit par remarquer Ralphie.

70

— Et ni à moi, fils, ni à moi. Tu fais c'que t'as à faire, point. Simplement... (Il s'interrompit, se demandant ce qu'il avait eu réellement en tête.) J'dis juste qu'on doit savoir c'qu'on fait, toujours. La fille Linda, elle t'apporte quèqu'chose que t'as besoin ? Très bien. Mais pas besoin de jeter ça à la figure d'Angel. Tiens, c'est tout comme c'que tu m'as fait...

— Moi ? J't'ai fait quoi, moi ?

— T'as fait comme si j'existais pas, fils. (Il sentait des larmes lui monter aux yeux.) T'es d'l'autre côté de la rue, à t'frotter-coller à cette fillette comme si j'existais pas, comme si j'étais qu'un foutu clebs. Et après, même pas un signe, rien...

Le bus s'immobilisa devant l'abri.

Le leur.

Les freins gémirent, la porte s'ouvrit en chuintant. Ralphie s'en approcha. Socrate lutta pour ne pas l'arrêter du bras. Il aurait voulu l'obliger à écouter encore ses explications, ses excuses.

Mais il resta immobile. Ralphie monta dans le véhicule, les portes se refermèrent d'un coup sec et la masse scintillante repartit dans un brouillard d'eau qu'irisaient les lampadaires.

5

— C'est comme ça qu'j'suis tombé malade, déclarat-il à Right Burke de son canapé déplié.

Après ce fameux soir où il avait marché pendant des kilomètres sous la pluie, il était resté cloué au lit par un refroidissement, seul pendant des jours et des jours. Jusqu'à ce que l'ancien combattant de la Seconde Guerre mondiale, son ami Right, se pointe chez lui pour voir ce qu'il devenait.

En découvrant Socrate prostré dans sa chambre glaciale, il était parti acheter de l'aspirine et de la soupe en boîte. Il rapporta aussi des crèmes renversées et de la gnôle pour lutter contre le virus.

Les premières quarante-huit heures, Socrate fut trop faible pour prononcer plus que deux ou trois mots. Le troisième, il put remercier son camarade et lui raconter l'histoire de Linda et de Ralphie.

— J'comprends quand même toujours pas pourquoi t'as dû rentrer à pied par ce temps, observa Right.

— Fallait que j'le laisse partir, vieux. Fallait ça.

— Tu veux dire que si t'étais monté dans l'bus avec lui, tu lui aurais cassé la goule ?

— Euh, non... En fait... (Un moment, il chercha son souffle, étendu sur le matelas maigrelet) C'était pas pour l'aider, tu comprends ? J'voulais qu'i' se sente mal pasque moi j'avais la haine. C'te fille, j'en avais envie. Et j'voulais lui faire payer de me traiter comme ça, comme si j'étais pas là. Mais j'avais tort. Voilà pourquoi j'suis revenu sous la pluie.

— Je... Je te suis pas, dit Right.

Plus tard, ce soir-là, Right s'endormit sur la chaise longue qui servait de lit d'appoint chez Socrate.

Les ronflements de l'ex-sergent le tirèrent bientôt du sommeil. Linda et Ralphie, et Angel à la maison avec le petit Warren, passaient en images dans son esprit.

La maladie n'étreignait plus ses poumons. Il allait vivre.

— J'suis pas un négro, murmura-t-il.

Il répéta cette phrase, puis, à l'adresse d'un hypothétique ami :

— Et si j'en suis pas un, toi non plus. Moi et toi pareils, mon frère.

Right se redressa. Il fixa Socrate dans l'obscurité de la petite chambre.

— Ça va ?

— Si toi ça va, moi ça va.

Les deux hommes rirent ensemble. Un peu plus tard encore, ils levèrent leur verre de gnôle à toutes les Linda qu'ils avaient connues.

Égalité des chances

1

Le supermarché Bounty était à des lieues de la maison de Socrate, sur Venice Boulevard. Il contempla bouche bée ce scintillant palais tout en traversant le parking en plein soleil. La façade n'était qu'immenses baies vitrées aux armatures d'aluminium, à travers lesquelles il apercevait des queues et des queues de clients aux paniers remplis de victuailles. Il s'imagina de beaux fruits, d'énormes steaks, des jambons ou encore ces gigantesques paquets de céréales qu'on ne trouve que dans les grandes surfaces.

Les caissières étaient toutes des femmes jeunes, parfois des adolescentes, noires pour la plupart. Femmes et filles noires encaissant l'argent tout en échangeant quelques mots entre elles, faisant défiler les produits sous l'œil informatique qui enregistrait le prix et l'ajoutait au total sans qu'elles aient besoin de penser à quoi que ce soit.

Entre les caisses, des garçons noirs ou bruns entassaient les sacs dans les chariots. Les clients n'avaient à s'occuper de rien.

Socrate s'avança devant l'une des doubles portes coulissantes, qui s'ouvrit en gémissant quelque blues mécanique. Plongeant dans l'air frais, il fut aussitôt pris par la musique des supermarchés, chariots crissant sur le sol et s'entrechoquant, cris de joie ou de dépit des enfants, bruits de pas, murmure des conversations qui finissait par bercer l'ancien taulard.

C'était un temple, un temple qui inspirait une émotion vraiment religieuse avec ses proportions intimidantes, l'abondance qui y régnait. La richesse.

Aux caisses, des billets de banque changeaient de main à chaque seconde, des cartes de crédit étaient données et reprises. Aucun client ou presque n'utilisait de bons d'achat. L'argent coulait sans cesse, apparemment inépuisable. Combien, en l'espace d'une seule journée ?

Et que diraient-ils tous s'ils apprenaient que le vieil homme en train de les observer venait de passer vingt-sept années en quartier de haute sécurité ? Socrate lâcha un rire sec, comme un jappement. Ils ne devaient pas s'inquiéter. Il n'était pas un voleur, lui. Ou s'il l'était, il n'avait jamais rien pris d'autre que la vie d'autrui.

— Puis-je vous être utile, monsieur ? lui demanda Anton Crier.

Socrate connaissait son nom parce qu'il s'étalait en toutes lettres sur le badge épinglé à sa poitrine : « Anton Crier, sous-dir. » Il portait un pantalon marron et un blazer bleu orné du sigle du supermarché.

— Je viens pour une demande.

C'était une phrase qu'il avait conçue pendant toute une journée, répétée une semaine entière. Au début, il avait pensé dire : « Je viens pour la demande d'emploi », puis il avait laissé tomber *d'emploi*, qui à son goût rendait la formule moins assurée. Mais quand il l'avait prononcée devant Stony Wilde, celui-ci avait observé : « Pourquoi *la* demande ? *Une* demande. »

Le front d'Anton Crier se plissa. Il tarda un moment à réagir.

— Une demande de quoi ?

— D'emploi.

Et voilà, il l'avait dit. En moins d'une minute, ce freluquet de Blanc, encore un gamin en vérité, le contraignait à quémander...

— Aaah..., fit Anton Crier en hochant la tête comme un sage de tribu. Mmmm. Quel âge avez vous, monsieur ?

— C'est légal, de demander ça ?

Socrate, comme presque tous ceux passés par la prison, était un expert en droit.

— Que... Quoi ?

— Me demander mon âge. C'est pas légal. Pas de discrimination de race, ou de sexe, ou de conviction religieuse, ou d'infirmité, ou d'âge. C'est c'que dit la loi.

— Eh bien, euh, oui, c'est évident. Je le sais pertinemment, et il n'y a aucune discrimination, bien entendu. Simplement, nous n'avons rien à pourvoir, pour l'instant. Il faudrait revenir à l'automne, quand les jeunes auront repris leurs études...

Il s'apprêtait à s'éclipser en laissant Socrate planté là.

— Attendez voir, fit le vieil homme en levant ses deux mains devant lui en une sorte de nonchalante figure de boxe.

Les yeux fixés sur lui, Anton obtempéra.

— Je viens pour une demande.

— Mais je vous ai déjà dit que...

— J'sais c'que vous avez dit. Mais d'abord vous avez reluqué mes habits et ma tête chauve. D'abord vous avez pensé : qu'est-ce que c'est ce vieux clodo, qu'est-ce qu'il vient faire ici un jour où y a pas l'Armée du Salut ?

— Moi ? Mais pas du...

— Pas grave, le coupa Socrate. (Laisser un Blanc en uniforme achever une phrase, c'était une erreur contre laquelle il était prévenu depuis longtemps.)

76

Vous devez me donner une demande. Un formulaire. C'est la loi, ça aussi.

— Attendez-moi ici, lui dit le jeune Crier.

Et il partit d'un pas pressé vers le bureau vitré qui surplombait l'alignement des caisses.

Socrate le regarda s'en aller. Les caissières et les garçons de course aussi. C'était leur boss, ils devinaient ses humeurs, ils avaient senti qu'il était mécontent. À la dérobée, ils lançaient des coups d'œil inquiets à Socrate.

Celui-ci ne détourna pas la tête. Il se demandait si l'une de ces jeunes Noires allait prendre sa défense. Se doutaient-elles du chemin qu'il avait parcouru pour arriver jusqu'ici ?

Une fois sorti de son petit appartement de Watts, il avait dû parcourir plus de vingt kilomètres. Dans son secteur, il n'y avait pas de supermarchés, pas de magasins, pas de travail. Et tous les commerçants de Crenshaw ou de Washington l'avaient catalogué comme un paumé qui ramassait les bouteilles vides pour se faire quelques pièces. Personne ne l'embaucherait, là-bas.

Cela faisait plus de trente-sept ans qu'il n'avait pas eu un emploi digne de ce nom. Au moment de la bringue avec Shep Fogel et Muriel, cela faisait vingt-quatre mois qu'il était au chômage.

Ils étaient partis en virée. Trois jeunes buvant à en tomber par terre. De retour chez Shep, Muriel avait commencé à lui faire de l'œil. Il avait dansé avec elle jusqu'à ce que Shep s'interpose. Mais bientôt celui-ci s'était endormi. En se réveillant, il les avait découverts enlacés sur le sol. La bagarre avait commencé sur-le-champ.

Après avoir envoyé Shep au plancher, il avait recommencé à s'occuper de Muriel, même si elle s'inquiétait pour son homme. Mais quand elle avait commencé à hurler et à le frapper avec une chaise, il avait répliqué.

C'est seulement au matin, en reprenant conscience, qu'il avait découvert que ses deux amis étaient morts.

Ensuite, il y avait eu vingt-sept années de prison, puis huit en liberté. Et là, à cinquante-huit ans, il avait décidé de recommencer sa vie.

Aucune de ces filles, ni même Anton Crier, n'était de ce monde quand il avait entrepris le trajet jusqu'ici. Alors, non, ils ne pouvaient pas le comprendre. Heureusement pour eux.

2

Il y avait une grosse horloge électrique sur l'un des murs du bureau. Pour égrener chaque seconde, la grande aiguille repartait un peu en arrière avant de forcer son avance, aussi obstinée que le tambour battant la mesure pour des rangs de galériens.

Par les vitres, Socrate apercevait le jeune sous-directeur en train de parler à une Blanche plus âgée, assise sous l'horloge. Après lui avoir lancé un regard d'en haut, elle fit pivoter sa chaise pour atteindre un classeur en fer et en retira une feuille de papier qu'elle tint à bout de bras pendant qu'elle sermonnait Anton. Celui-ci fit mine de prendre le formulaire à plusieurs reprises, mais elle écartait la main à chaque fois et poursuivait sa harangue. Finalement, Crier opina du bonnet, s'empara prestement de la feuille et quitta le bureau pour descendre en hâte l'escalier métallique. Il prit soin de ne pas regarder Socrate tandis qu'il s'approchait le long des caisses.

— Voilà, fit-il en lui tendant le document.

Il se préparait déjà à tourner les talons, mais Socrate effleura son coude fuyant et lança :

— Z'auriez pas un crayon ?

— Comment ?

— Un crayon, pour remplir cette demande.

— Vous... Vous n'aurez qu'à nous la renvoyer.

— J'ai pas fait tout c'chemin pour un bout de papier, mec. J'suis venu demander un job.

Anton Crier se rua sur l'une des caissières, lui réclama son stylo et revint en trombe vers Socrate.

— Tenez.

Il n'entendit pas Socrate lui dire merci. Il fonçait déjà vers le bureau suspendu.

Une demi-heure plus tard, Socrate se tenait au pied de l'escalier qui menait aux quartiers d'Anton et de la directrice du magasin. Il attendait que l'un ou l'autre descende. Ils ne pouvaient que le voir, de là-haut. Ils savaient.

Alors, le formulaire dans une main et le stylo emprunté à la caissière dans l'autre, Socrate patientait.

Au bout de vingt minutes, il se demanda si une brique judicieusement lancée dans la façade de verre du supermarché pourrait la casser.

Au bout de trente, il conclut qu'un coup de fusil serait plus efficace.

Trente-neuf minutes s'étaient écoulées quand la femme, une rousse artificielle, descendit enfin lui parler, Anton Crier sur ses talons. À son expression, Socrate devina que le garçon bouillait de colère.

— Oui, que puis-je pour vous ? demanda Halley Grimes.

Elle avait un sourire qui lui rappela la prison : faux, crispé.

— J'ai quelques questions, à propos de ma can... candidature.

— Toutes les informations nécessaires sont là, en haut de ce papier.

— Mais j'ai des questions, quand même.

— C'est que nous sommes terriblement occupés,

monsieur. (Elle se força à sourire encore plus, histoire de montrer qu'elle avait un cœur, même pour un vieil homme dérangé.) Bien, que voulez-vous savoir ?

— Là, on m'demande si j'ai une voiture pour aller au travail ou si je peux me faire accompagner régulièrement.

— Oui ! roucoula Mme Grimes. Eh bien, qu'est-ce que vous ne comprenez pas, exactement ?

— Je comprends ce que ça dit, mais pas c'que ça signifie.

La perplexité envahit les traits de Halley Grimes. Socrate fut content d'enregistrer enfin une réaction qui n'était pas feinte. Il prit les devants et poursuivit :

— Je veux dire que je n'ai pas d'voiture, ni personne pour m'accompagner, mais je peux très bien prendre le bus.

La directrice s'empara du formulaire et posa un doigt sur l'adresse qu'il avait indiquée.

— Où se trouve-t-elle, cette rue ?

— Au bout de Watts.

— Mais c'est très loin d'ici, en bus ! Il y a d'autres magasins bien plus près de chez vous, vous le savez certainement.

— Mais je peux le faire.

Socrate se rendit compte que sa tête remuait imperceptiblement au rythme d'une chanson. À ce moment, il entendit « Baby Love », de Diana Ross et les Supremes, qui était en train de passer en sourdine sur la sono du supermarché.

— Je peux le faire, oui.

— Parfait, déclara Mme Grimes, qui semblait soulagée. Nous allons expédier ceci à notre direction générale. S'ils nous donnent le feu vert, nous enregistrerons votre candidature et nous vous ferons signe dès qu'un poste se présentera.

— Vous ferez quoi ?

— Nous vous appellerons. Par téléphone. Si un

80

emploi correspondant à vos qualifications est à pourvoir.

— Ah, oui, mais faut qu'on trouve un autre moyen, alors. C'est que j'ai pas le téléphone, voyez-vous.

— Oh, dans ce cas..., soupira Mme Grimes en levant les bras d'un air accablé. Dans ce cas, je ne vois pas comment faire. Le principe, chez nous, c'est d'exiger un numéro de téléphone. C'est de cette manière que le service du personnel peut vérifier les adresses qu'on lui donne. En téléphonant.

— Mais comment ils peuvent savoir que c'est mon adresse rien qu'en téléphonant ? Ce serait pas mieux d'envoyer une lettre, vous croyez pas ?

— Écoutez, monsieur, j'ai très, très peu de temps. Je vous explique que nous avons absolument besoin d'un téléphone pour traiter votre candidature... (Elle lui tendit la feuille.) En l'état actuel, je ne peux malheureusement rien pour vous.

Socrate garda ses battoirs contre ses cuisses. Il ne voulait pas reprendre le formulaire, en partie parce qu'il craignait de briser les doigts boudinés de cette femme, au passage...

— Soyez gentille, faites suivre.

— Mais je vous dis que...

— Faites suivre, d'accord ? Allez. J'reviendrai bientôt pour savoir ce qu'ils ont dit.

— Non, vous...

— Faites suivre, c'est tout.

Cette fois, la violence était perceptible dans sa voix. Halley Grimes rebaissa le bras.

— D'accord. Mais ça ne changera rien.

3

Il dut prendre trois bus différents pour rentrer chez lui.

Il se sentait particulièrement fatigué. Parler à ce Crier et à cette Grimes l'avait vidé.

Il fit bouillir des pommes de terre et des œufs sur sa petite plaque, les découpa en rondelles et les mélangea dans sa marmite avec de la moutarde et des pickles doux. Après le repas, il s'accorda deux verres de whisky et une Camel.

À neuf heures, il dormait déjà.

Le rêve qu'il fit ne lui laissa pas de repos jusqu'au matin.

C'était un rêve réaliste, sans rien de magique, sans désirs impossibles. Il n'y avait que lui, Socrate, dans une cellule de deux mètres cinquante avec un flot de lumière vacillante qui venait du couloir et l'empêchait de lire, de se reposer, qui lui meurtrissait les yeux et lui donnait une terrible migraine.

— Monsieur Bennett ! appela-t-il dans son sommeil.

Il avait crié si fort qu'une souris, dans la cuisine, se débattit pour sortir de la marmite où elle s'était aventurée, sa queue battant désespérément la mince paroi métallique.

Toujours endormi, Socrate entendit ce bruit. Il se tourna sur le flanc mais sombra à nouveau dans ce rêve douloureux, aveuglant.

— Qu'est-ce que tu veux ? aboya le maton.

Il était gros, noir, et plus vicieux que tous ceux auxquels Socrate avait déjà eu affaire.

— Peux pas lire, peux pas dormir. Depuis trois jours elle est là, c'te lumière.

— Mets ton coussin sur la tête, rétorqua le gardien.

— Peux pas respirer, comme ça, raisonna Socrate.

— Eh ben, respire pas.

Alors qu'il s'éloignait, Socrate eut une révélation. Il comprit enfin pourquoi on l'avait enfermé dans cette prison. S'il l'avait pu, en cet instant, il aurait tué Bennett de ses propres mains. Il aurait serré ses doigts autour de ce cou gras, jusqu'à ce que les veines enflent, jusqu'à ce que le cartilage cède. À vingt-cinq années de distance, il était si enragé qu'il crispa les poings sans se réveiller.

Il dormait en souhaitant pouvoir dormir. Il était fou, fou à tuer. Il n'arrivait pas à se reposer à cause de cette lumière meurtrière et plus elle l'accablait, plus il se laissait aller à la colère, et plus il avait peur de lui-même. Peur de tuer Bennett à la première occasion qui se présenterait.

Dans ce rêve, la haine s'accumulait pendant des jours. On aurait pu l'entendre grincer des dents dans tout le bâtiment.

Enfin, quand cela devint absolument insupportable, il prit sa balle en caoutchouc dans la paume gauche et glissa sa main droite entre les barreaux. Puis il fit passer la balle dans sa main droite, la soupesant dans le panier que faisaient ses doigts. Avec le poids du caoutchouc compact dans la paume, il fit face à l'éclat aveuglant en clignant des yeux. Partie du nombril, l'onde parcourut violemment sa poitrine, son épaule, pour se densifier dans ses doigts raides comme l'acier. La balle vola en ligne droite, fit exploser l'ampoule dans un geyser d'obscurité.

Et là, au milieu d'une nuit d'encre, il entendit Bennett annoncer :

— D'la lumière, compte plus sur l'État de l'Indiana pour t'en payer.

En se réveillant le matin, il sut qu'il avait pleuré. Les muscles de sa gorge étaient encore tendus. Il se leva, et il pensait à Anton Crier et à Halley Grimes.

— Qu'est-ce que tu m'chantes là ? s'étonna Stony Wile.

Il était tombé sur Socrate alors que ce dernier descendait d'un bus sur Central Avenue et avait invité son ami à venir prendre une bière. Ils étaient au Moody's, un bar de la 109e Rue.

— J'me pointe là-bas tous les jours, ça en fait cinq. Et à chaque fois j'entre et j'demande s'ils ont reçu le feu vert de leurs grands chefs pour moi.

— Et eux, qu'est-ce qu'ils disent ?

— Ben, le premier jour, ce 'ti mec, Crier, l'a juste dit non, donc j'suis reparti. Et le lendemain i' m'a dit que je devais pas rester là. Alors j'lui dis que j'veux voir sa patronne. Bon, elle descend et elle me sort qu'elle a déjà tout dit. Que sans téléphone j'peux pas l'avoir, le job.

— Ouais. Et alors, qu'est-ce que t'as fait ?

— J'ai dit qu'i' feraient mieux d'appeler les grands chefs et d'me trouver une réponse, pasque moi je vais revenir tous les jours jusqu'à ce que j'en aie une, de réponse !

Son ton était si catégorique que Stony ouvrit des yeux ronds.

— Tu vas pas encore faire une connerie, hein, Socco ?

— Comme quoi ?

— I' peuvent te créer toutes sortes d'emmerdes. Te faire coffrer si tu continues à y aller et qu'i' t'ont dit non.

— Possible, ouais. Mais merde ! Les flics peuvent bien débarquer et m'faire sauter la calebasse, c'est pas pour autant que j'dois leur lécher le cul, si ?

— Attends, attends, c'est aut'chose, là ! T'as un honneur, t'as ta fierté d'homme, ça se défend, pour sûr. Mais dans c't' histoire de supermarché, j'vois pas l'rapport.

— Alors écoute. Jeudi, cette Mme Grimes me raconte que le service machin lui a envoyé un fax. J'suis pas qualifié, qu'i' disent. Et elle, elle m'dit qu'elle a appelé les flics vu que je viens les « harceler », qu'elle dit. Elle dit qu'i' z'ont dit que si je reviens i'm'arrêteront. I' m'arrêteront, t'entends ? juste pasque j'essaie d'obtenir mes droits.

— Ça, c'était le quatrième jour ? interrogea Stony, afin de s'assurer qu'il ne se trompait pas dans ses comptes.

— Ouais. J + 4. Moi j'lui demande si j'peux le voir, c'fameux fax, mais elle dit que non, qu'elle l'a plus, qu'elle l'a jeté. T'as déjà entendu une chose pareille ? Une toubab qui bosse dans une boîte de Blancs et qui balance les papiers du bureau à la poubelle ?

Dans le temps, Stony avait été constructeur de bateaux. Il travaillait maintenant sur une barque de pêche, du côté de San Pedro. Il avait eu pas mal d'ennuis mais n'avait jamais connu la prison. Et il ne s'était jamais demandé quel avait été le sort des milliers de papiers qu'il avait signés au cours de sa vie. Aussi s'étonna-t-il de bonne foi :

— Et pourquoi i' les jetteraient pas ?

— Pasqu'i' gardent le moindre bout de papelard pour le cas où ça leur servirait devant un tribunal, malin.

Stony fit signe qu'il comprenait, oui. Vaguement.

— Alors j'ai téléphoné direct au siège de Bounty. I' sont sur Torrence Boulevard, par là-bas.

— Tu... Tu m'charries, là !

— Et pourquoi ? J'ai fait c'te demande, Stony. I'doivent bien m'répondre oui ou non.

— Et i'z'ont dit quoi ?

— Qu'i'z'avaient jamais entendu causer de moi.

— Tu bobardes.

— C'est les deux-là qui bobardent. Crier et Grimes. Et d'ailleurs c'est c'que j'suis allé leur dire pas plus tard qu'aujourd'hui, hé ! J'gueulais déjà sur l'Anton quand i' m'a dit que sa patronne était sortie. Alors j'y ai dit qu'i'z'étaient des fourbes et que j'avais l'droit de m'trouver un travail, moi.

— Et il a dit quoi ?

— I' parlait dans son ventre. La trouille que j'lui tombe dessus. Et c'est c'qui aurait bien pu s'passer, sauf que Mme Grimes s'est radinée.

— Quoi, elle était là ?

— Soi-disant que c'était sa pause-déjeuner. Soi-disant qu'elle allait lâcher les flics sur moi. Merde ! J'y ai dit qu'elle était une fourbe, là, devant son nez ! J'y ai dit qu'elle racontait que des craques et que moi, j'avais le droit qu' ma demande soit étudiée plus haut. (Il désigna Stony d'un doigt vengeur, comme si c'était son ami qui refusait de lui accorder un emploi.) J'y ai dit que je reviens lundi et que j'espère qu'on me traitera justement, comme qui dirait.

— Eh ben... Ça m'a l'air correct, ton affaire. C'est pas à elle de dire qui peut être candidat et qui peut pas. Faut qu'elle soit juste, là.

— Ouais. Eh ben elle a dit que les flics, lundi, i'vont m'attendre de pied ferme. P'têt' que lundi soir, tu pourras passer me voir au gnouf ?

5

Le samedi, Socrate tira son chariot de bouteilles jusqu'au Boys Market, sur Adams Avenue. Trois heures durant, il attendit derrière Calico, une vieille Noire qui écumait les mêmes rues que lui, et deux jeunes Noirs qui travaillaient en équipe.

Calico, D.J. et Bernard s'amusaient bien. D.J., originaire d'Oakland, était venu vivre à L.A. avec sa grand-

86

mère quand il avait quinze ans. Peu après, elle était morte et il s'était retrouvé sans domicile fixe. Il ne se plaignait pas de son sort, au contraire. Il s'extasiait sur la bonne vie qu'il menait, sur les excellentes surprises que les trottoirs lui réservaient.

— Hé, mon rêve, c'est qu'i' m'laissent à Beverly Hills une semaine. Rien qu'une petite semaine. Avec une semaine et une camionnette, j'en ramasserai assez dans leurs poubelles là-bas pour être peinard pendant un an ! Dites, faut voir c'qu'i' jettent, là-haut !

— Comment qu'tu le saurais, putain ? protesta Bernard. Depuis quand t'es déjà allé à Beverly Hills ?

— Ben, quand j'étais manœuvre ! Quand j'ai bossé pour un maçon qui leur construisait un mur en parpaings à Hollandale. J'ai vu d'mes yeux c'qu'i' balançaient, purée ! Une télé portable, qu'j'ai récupérée dans les poubs ! La vérité. Et avec toutes les chaînes, attention !

— Mais pas avec le câble, j'parie.

— Mais si ! Seulement, j'avais pas le câble pour m'raccorder au câble !

Ils bavardèrent ainsi sans relâche tandis que Calico s'émerveillait et riait avec eux, heureuse de se retrouver en compagnie de deux hommes jeunes.

Socrate, lui, était vert de rage.

Pourquoi l'obligeaient-ils à attendre tout ce temps ? Qu'est-ce qu'ils se croyaient, dans ce magasin, à faire poireauter des adultes comme s'ils étaient des gosses dans une cour de récréation ?

À deux heures, il se leva, abandonnant son chariot.

— Hé, lui cria Bernard, tu veux qu'on t'surveille ton truc ?

— Pouvez aussi bien l'prendre, répondit Socrate. J'm'en servirai plus jamais, de c'damné chariot.

Dans son dos, Calico poussa un cri de joie.

Le lendemain, il aiguisa la lame de son couteau sur une pierre. Il n'avait pas d'arme à feu. Si les flics le coinçaient avec un pétard, il risquait fort de terminer sa vie derrière les barreaux. Mais aucune loi ne lui interdisait de garder un petit couteau d'à peine huit centimètres. Et huit centimètres, pour celui qui sait se servir d'une arme blanche, c'est amplement suffisant.

Il se concentrait sur sa tâche sans vraiment savoir pourquoi il l'aiguisait. Cette Grimes et ce Crier ne l'attaqueraient jamais. Pas physiquement, du moins. Et au cas où ils appelleraient la police, un couteau ne changerait rien, au contraire : ce serait un bon prétexte pour l'abattre en invoquant ensuite la légitime défense.

Pourtant, il s'entraîna un long moment à le dégainer aussi vite que possible et à le brandir dans son poing. « Ah ! » criait-il à chaque fois.

6

En partant pour le supermarché au matin, il laissa le couteau sur la caisse orange posée près de son canapé. Le bus arriva à l'heure, il attrapa chacune de ses correspondances sans encombre. En quarante-cinq minutes, il était à nouveau sur place. Une grosse bâtisse, pensa-t-il en contemplant la façade vitrée, mais pas aussi grosse que la prison dans laquelle il avait passé toutes ces années.

S'il avait été plus malin, il aurait laissé tomber et aurait tenté un autre magasin. Il le savait. Il savait aussi qu'il n'y a rien d'héroïque à se donner en spectacle.

Il était à peine neuf heures et demie. L'air froid de l'aube était encore sensible. Sous un ciel gris perle, le parking était presque vide.

Il respira sept fois, en les comptant, avant de se diriger vers l'entrée, sans couteau dans son poing. À voix basse, il maudit la malchance de ne pas avoir de femme à la maison. Elle lui aurait dit qu'il était ridicule, elle.

Personne ne surveillait la porte. Il n'y avait qu'une seule caissière au travail. Les autres employés parcouraient les allées, réapprovisionnant ou contrôlant les rayons.

Socrate s'approcha de l'escalier des bureaux parce qu'il n'avait pas d'autre endroit où aller. Il faisait un pas après l'autre, machinalement, de la même façon qu'il avait parfois arpenté sa cellule, jadis, ou qu'il allait et venait chez lui.

En haut, deux hommes apparurent sur le perron. Poivre et sel, blanc et noir. Le plus âgé, un Blanc, se voulait élégant avec sa chemise marron et sa cravate de couleur brune. L'autre, le Noir, était en jean et veste sombres, avec une chemise blanche à col Mao. Sa peau était très claire mais la forme de son nez et de ses lèvres trahirait toujours ses origines.

Ils descendirent à sa rencontre. Grimes et Crier les suivaient.

— Monsieur Fortlow ? demanda le Blanc.

Les yeux fixés sur lui, Socrate hocha la tête.

— Moi, c'est Parker, poursuivit l'autre. Et voici M. Weems.

Socrate émit un vague grognement.

Les deux hommes formaient un mur derrière lequel la directrice et son adjoint s'éclipsèrent prestement.

— On travaille pour Bounty, annonça Weems. Vous voulez nous accompagner là-haut un moment ?

— Pour faire quoi ?

— On aimerait parler un peu, répondit Parker.

Le bureau était plus petit qu'il n'y paraissait d'en bas. Les deux tables installées l'une contre l'autre occupaient la majeure partie de l'espace. Sur le mur du fond s'étalait un vaste tableau noir où les horaires de travail de tous les employés étaient inscrits à la craie. Dessous, la porte d'un coffre-fort encastré.

— Asseyez-vous donc, monsieur Fortlow, dit Parker en désignant l'une des deux chaises.

Il prit l'une d'elles tandis que Weems calait son postérieur sur une table.

— Café ? proposa le Blanc.

— C'est quoi, qu'vous voulez ? coupa Socrate.

— On voudrait comprendre quel est votre problème avec Mme Grimes, répondit Parker en souriant. Elle a appelé le siège vendredi pour nous dire qu'elle allait prévenir la police. Parce qu'elle a peur de vous.

— J'ai pas d'problème avec Mme Grimes, ni avec Anton Crier, ni avec les supermarchés Bounty. J'ai besoin d'travail et j'ai fait la demande, point final.

— Mais elle vous a expliqué qu'il fallait un numéro de téléphone pour enregistrer votre dossier, intervint Weems.

— Et alors ? Juste pasque j'ai pas de téléphone, j'pourrais pas bosser ? Ça tient pas debout. Si j'travaille pas, j'peux pas me payer la ligne. Et si j'ai pas la ligne j'peux pas gagner ma vie. Vous z'avez qu'à me mettre direct à la tombe, aussi bien !

— Que vous n'ayez pas de téléphone ne concerne en rien notre établissement, lança Parker, qui gardait un air placide mais dont le ton laissait percer une menace.

— Tout c'que j'veux, c'est faire ma demande. C'est travailler.

En réalité, ce qu'il voulait, c'était se battre. Au couteau, au corps à corps avec ces deux flics privés. Mais il poursuivit :

— J'ai menacé personne. J'ai rien dit d'mal. Simplement, j'suis revenu tous les jours pour demander si y avait des nouvelles de vous autres pour moi. C'est tout. Sur c'formulaire, y avait la question de comment j'pourrais me rendre à mon travail, eh ben ça fait une semaine que j'arrive ici à neuf heures et demie ou avant, même. J'arrive et j'demande si j'suis enfin pris. Rien d'autre. Et si cette dame-là se sent pas bien, ça doit être qu'elle sait qu'elle a pas été juste avec moi. Mais moi, j'ai rien fait.

Ce plaidoyer resta d'abord sans réponse. Les deux hommes le regardaient en silence. Le murmure d'une machine parvenait de quelque part, sans que Socrate arrive à deviner d'où. Il se préoccupait surtout de garder ses mains sur ses genoux. Et de ne pas serrer les poings.

— Et comment voulez-vous obtenir un job en venant ici tous les jours pour faire penser à vos futurs employeurs qu'ils se conduisent pas bien ? interrogea Weems, qui paraissait sincèrement intrigué.

— Si j'étais pas rev'nu, ma demande, elle s'rait partie droit à la poubelle. Sans doute qu'elle y est déjà, d'ailleurs. J'suis pas un gamin, dites. J'me fais cinquante-huit ans, sans emploi et pas d'aide pour moi. Ou j'me trouve un moyen de gagner mon pain ou je meurs de faim. Fallait que j'insiste, alors. J'peux pas laisser ces gens m'refuser jusqu'au droit de demander. Sinon, autant m'laisser crever présentement.

Parker soupira. Weems se gratta le haut du crâne puis prit l'arête de son nez entre deux doigts.

— Vous pouvez pas travailler ici, finit par déclarer Parker. Si on essaie de vous imposer à Mme Grimes, elle va péter les boulons. Elle a vraiment cru que vous alliez vous pointer ici en flinguant à tout va !

— Alors, pasqu'elle a cru qu'j'étais un tueur j'pourrais pas avoir de boulot ?

Il était conscient de l'ironie de sa remarque et, en même temps, il comprenait leur point de vue. Un emploi, ce n'était plus réellement la question, pour l'instant. Il était juste content de parler, de pouvoir exprimer ce qu'il ressentait. Et il savait qu'il disait la vérité, et que ces deux hommes le croyaient.

— Et Rodriguez ? lança Weems à brûle-pourpoint.

— Hein ? fit Socrate. Qui c'est ?

— Le directeur de l'un de nos magasins, à Santa Monica.

— Euh, je sais pas..., commença Parker.

— Mais oui ! Connie Rodriguez ! (Weems semblait s'emballer pour l'idée qui lui était venue.) Lui qui dit toujours qu'il faut donner sa chance à chacun. Voilà, nous, on pourrait lui donner la chance d'aider un peu M. Fortlow ici présent !

Parker se mordait la lèvre inférieure, qui devint toute rouge. Weems rayonnait. Socrate eut l'impression qu'ils s'apprêtaient à jouer un tour à ce Connie Rodriguez. Parker hésitait, mais de toute évidence il était presque convaincu. Soudain, il se pencha sous le bureau, en sortit un attaché-case dans lequel il prit un papier. La candidature de Socrate.

— Bon, il reste juste une question...

7

— Et i'voulait quoi, alors ? demanda Stony Wile.

Ils étaient tous au restaurant de Yula. Stony, Right Burke, Markham Peal, Howard Shakur. À la nouvelle que Socrate avait été embauché au Bounty de Santa Monica Boulevard en tant que « livreur-emballeur », Yula avait organisé une petite fête en son honneur. Elle avait préparé le repas, ses amis s'étaient chargés de fournir la boisson.

— I'voulait savoir pourquoi j'avais pas rempli une des cases.

— Laquelle de case ?

92

— Celle à propos d'si j'ai déjà été arrêté ou condamné.

— Aïe ! Et t'as dit quoi ?

— Que j'l'avais oubliée.

— Et après, t'as bobardé ?

— Un peu, oui ! Mais i'l'a très bien vu, que j'mentais. Avant chez Bounty, il était flic, tu comprends ? L'autre aussi. I'm'a demandé si le résultat serait vilain dans le cas où i'f'raient une enquête sur moi. Alors, j'ai dit non, pas la peine d'enquêter...

— Ouais..., soupira Stony. Ça va toujours te rester suspendu au-dessus de la tête, ça. Toujours.

Socrate éclata de rire et prit son ami par le cou. Il l'attira contre lui puis, le tenant par les épaules, les yeux rivés dans les siens :

— C'que j'ai au-dessus d'la tête, mon frère, c'est bien pire que ça, oh bien pire. Et le temps qu'i' retrouvent mon passé, j'aurai déjà touché ma première paie.

Marvane Street

1

L'eau entrait sous la porte qui donnait sur la rue. La pluie tombait si dru qu'il avait dû entasser des serviettes contre la fente, et malgré tout de petites rigoles se frayaient un chemin jusqu'à sa chambre à coucher. Écoutant le déluge tomber sur son toit en tôle, Socrate pensa qu'il était bien content de ne pas devoir aller au travail ce jour-là. Il avait replié la carpette et allait essorer son rempart de tissu toutes les heures. Le canapé sur lequel il dormait était posé sur des cales en bois. Quant au sol en lino usé de la cuisine, il était surélevé par des briques et aucune inondation ne pouvait l'atteindre.

Pendant un instant, à en juger par le bruit du flot cascadant dans la gouttière et tombant dans le vieux tonneau de l'autre côté du mur, il se dit que la pluie redoublait d'intensité. Puis il y eut un silence. Un coup de vent, se dit-il, mais il n'entendait rien trembler. Alors, le bruit reprit. Mais ce n'était pas celui de l'eau tambourinant sur le tonneau. C'était un peu trop fort pour cela.

L'oreille aux aguets, il comprit enfin qu'on était en train de frapper à la porte de derrière, la seule encore en usage dans la maison.

Par beau temps, il avait rarement des visiteurs. Et lorsqu'il pleuvait, jamais.

Un garçon se tenait à l'entrée, trempé jusqu'aux os.

— Hé, 'jour, Darryl.

Socrate s'effaça pour le laisser entrer.

— 'Jour.

— Qu'est-ce tu fais là, avec cette pluie ?

— J'sais pas. Rien.

— T'as faim ?

D'expérience, il savait que les gamins de onze ans sont toujours affamés. Surtout quand ils sont noirs. Surtout quand ils sont pauvres.

De son nouveau frigo, il sortit un grand saladier de riz au poulet et aux gombos, entreprit de le réchauffer sur le camping-gaz qu'il avait acheté dans un surplus de l'armée, au centre-ville. C'était là qu'il s'était fourni, pour tout : vêtements, chaussures, assiettes, un couteau de poche... Depuis qu'il avait été embauché au Bounty de Santa Monica, depuis qu'il livrait leurs courses aux clients, il avait fait pas mal d'achats, des objets de première nécessité qui, pour un ancien taulard comme lui, étaient un véritable luxe.

Il ajouta des oignons crus en rondelles, quelques branches de thym et des feuilles de sassafras. Puis il le fit asseoir sur la chaise pliante et retourna la poubelle vide pour s'installer dessus.

Darryl était parcouru de frissons mais il ne semblait pas s'en rendre compte. Il attaqua le plat à la cuillère, la bouche trop occupée pour avoir le temps de placer un mot. En le regardant s'empiffrer, Socrate réprima la colère qui lui gonflait le cœur. Il aurait voulu gifler ce morveux à toute volée, l'envoyer rouler à terre, le saisir par ses épaules osseuses et le jeter contre le mur.

Il aurait voulu qu'un homme, un aîné, lui ait témoigné ce même genre d'amour avant qu'il ne sorte du droit chemin.

Il avait dit à Darryl de venir le voir dès qu'il serait en

95

difficulté. Jusqu'alors, le garçon n'était pas réapparu. C'était un enfant à problèmes, privé de père, un de ces paumés qui agissent mal sans en avoir conscience. Ou si peu...

— Merci, articula l'adolescent en terminant son troisième bol. C'était bon.

— Comment ça va, 'ti ?

— Ça va.

— Et ta maman ?

— Bien. Elle a un doudou, maintenant. Tytell. Tout l'temps à la maison, celui-là. Mais elle va bien. Enfin, j'crois.

Socrate porta le bol jusqu'à l'évier et le remplit d'eau. Il voulut nettoyer le rebord contre le mur mais le plâtre s'en détachait sans cesse, quoi qu'on fasse.

— Euh, tu fais des rêves, toi ? demanda soudain le gamin au large dos de l'assassin.

— Des fois.

— Tu rêves de quoi ?

— De tout c'que j'voudrais et qu'j'ai pas. C'est pour ça qu'on appelle ça des rêves.

— Aahh...

— Et toi ?

— Moi ? Rien.

Darryl était immobile sur la chaise en plastique, les yeux fixés à hauteur de poitrine du vieil homme. Il avait l'air irrité. Socrate l'était, lui aussi. Il sentait que le garçon avait des ennuis. Et les ennuis, dans la vie de Socrate, avaient toujours été un prélude à la violence. Même à ce moment, alors qu'il se faisait du souci pour Darryl, il ne pouvait s'empêcher de tendre ses biceps et de serrer ses redoutables poings.

— J'ai du gâteau, par là.

— Quelle sorte ?

— C'est important, quelle sorte ?

— Moi, le pudding, j'en mange pas. C'est dégueu, c'truc.

— Une tarte aux pêches. J'l'ai eue au magasin.

— Ouais, j'en veux.

Socrate prit un plat sur l'étagère. Il n'en restait plus que la moitié, qu'il divisa en deux parts égales. Il les posa sur des assiettes en fer de l'armée. Manger dissipait un peu sa rage. C'était une bonne tarte et pourtant, ils allaient la jeter, au Bounty... Chaque fin de semaine, il avait le droit d'emporter un sac de denrées périmées.

— Et tu rêves pas de choses que tu voudrais pas, jamais ? continua le garçon.

— Eh ben... Des fois, j'crois que j'le veux pas mais en fait, j'le voulais.

— Non, j'veux dire quèqu' chose que tu détestes carrément. Quèqu' chose qui t'fait t'réveiller d'un coup tellement t'as peur et t'as envie de t'sauver.

Le rêve de Darryl était en train de repasser dans ses yeux.

— T'as rêvé de c'gamin ? l'interrogea Socrate.

Darryl avala péniblement sa salive, sans répondre.

— T'as vu quoi ?

Les mains dans les poches, il se rassit sur la poubelle.

— On... On était dans une grande grande pièce, toutes les lumières éteintes mais on voyait quand même. Il avait l'cou ouvert mais, i' marchait quand même. Pas d'habits sur lui. I'm' courait après. I' criait, criait et moi j'me taillais. C'était immense, c't' endroit, mais on voyait que lui, que lui...

Darryl frissonna à nouveau. Socrate avait envie de le prendre dans ses bras, de le réconforter. Il se ravisa.

— Et i' t'a attrapé ?

— Nnnnon. J'me réveille toujours avant. Sauf que toutes les nuits, i' r'vient. Rien qu'd'aller m' coucher, ça m'flanque les foies.

— S'i't'attrape, il fera quoi, d'après toi ?

— I' m'esquinte jusqu'à c'que j'sois aussi cadavré que lui. Me brûle la peau sur les os, comme dans ce film que j'ai vu.

— Pourquoi i' f'rait ça, Darryl ?

— Pasque j'l'ai tué, voilà pourquoi ! Pasqu'i'est en rogne contre moi. Pasque Jamal et nous on l'a laissé là-bas et on a rien dit à sa reum, rien du tout ! Et l'a même pas une tombe. Voilà pourquoi !

Il s'était mis à taper avec sa cuillère contre l'assiette en fer.

— Tu veux faire quèqu' chose, à propos de ça ?

— Y a rien à faire ! Ou p'têt' des cachets qui font dormir, j'sais pas...

— C'est pour ça qu't'es venu ? Tu crois que j'en ai des somnifères ?

— Ben non, hein. J'peux en avoir à l'école.

La cuillère avait acquis un rythme obstiné.

— Arrête un peu c' tintamarre et écoute-moi bien, dit Socrate. Tant qu't'es en vie, tu peux toujours faire quèqu' chose. C'est à ça qu'ça sert, de vivre. Quand t'es mort, c'est trop tard. Pour ce gosse aussi c'est trop tard. L'est plus là, l'est mort, et toi qui l'as tué, t'es chagriné à cause de lui. Donc faut faire quèqu' chose. Et vu qu't'as fait un truc mal, maintenant tu dois faire un truc bien. Essaie de calculer un peu ça.

— Et après j'pourrai dormir ?

— J'parie que oui. Tiens, pourquoi tu vas pas dans l'autre pièce et tu t'étends sur l'canapé ? J'veillerai bien à ce que personne vienne t'embêter. Et après, tu t'réveilles et on cause de c'que tu pourrais faire.

Darryl était arrivé vers neuf heures du matin. À dix heures, il dormait. À midi, les nuages s'en allèrent. Socrate sortit dans son jardinet retourner la terre pour planter le rosier qu'il espérait pouvoir acheter.

Plus tard, il était en train d'imaginer de belles roses poussant chez lui quand Darryl surgit de la masure. Il avait les yeux gonflés mais ses traits étaient détendus, au moins.

— Comment qu't'as dormi, 'ti ?

— Bien. Combien de temps ?

— Cinq heures, j'dirais. Ou plus.

— La vache !

— Maintenant tu rentres chez toi, Darryl. Reviens demain, qu'on regarde un peu c'que tu pourrais faire.

Pour plaisanter, il fit mine de lui décocher un direct de son gros poing. Et il vit sourire le garçon, pour la première fois.

— À plus, lança Darryl avec un petit signe de la main qui prouvait que ce n'était pas une formule en l'air.

2

Le lendemain était un dimanche. Socrate ne travaillait jamais le week-end : tous les étudiants se réservaient ces jours-là, au supermarché.

Darryl passa comme prévu. Cependant, ils ne parlèrent pas de ce qu'il pourrait tenter pour racheter son crime. Ils mangèrent du Kentucky Fried Chicken puis le petit fit encore une sieste.

Socrate lui donna les clés de chez lui. Une semaine durant, il trouva Darryl effondré sur son canapé chaque fois qu'il rentrait du travail.

Il attendit le samedi suivant pour passer à l'étape suivante.

— T'es déjà allé Marvane Street ? lui demanda-t-il alors qu'ils venaient d'achever un solide petit déjeuner, saucisses de porc et œufs brouillés aux oignons.

— Moi ? Euh... Jamal y a été, lui.

— S'faire sucer ?

— J'en sais rien. J'imagine, ouais.

— Tu f'rais bien de dire à ton pote qu'i' risque d'y perdre son zoizeau, là-bas. Bon sang, ces camés-là, j'voudrais même pas leur serrer la main.

— Hmmm, fit Darryl en prenant sa cuillère.

Avant qu'il ne commence à tambouriner sur son assiette, Socrate annonça :

— On va y aller, aujourd'hui.

— Où ça ?

— Marvane Street.

— Pour faire quoi ?

— Avant d'seulement agir, faut qu'tu réalises le problème que t'as. Et le problème que t'as, i's'trouve là-bas.

Ils descendirent la large allée sur laquelle donnait la maison de Socrate, puis ils rejoignirent la rue principale et prirent à l'est, vers Marvane Street. Les trottoirs étaient bondés : enfants avec leur mère, vieillards affalés contre les devantures de magasins fermés ou assis qui sur une boîte en carton, qui sur une chaise branlante... Il y avait des gangs de gosses, des gangs d'adolescents, des gangs de jeunes, filles et garçons, dont les voitures passaient en beuglant du rap sur leur sono ou qui marchaient en dansant, en riant, en s'échangeant des plaisanteries qui ressemblaient à des menaces.

— Toi, Darryl, t'es dans un gang ?

— Pas encore.

— Mais tu voudras ?

— P'têt'.

— Comment ça ?

— Ça dépend pas de moi, hé. Des fois, t'es obligé de t'y mettre. Pour être protégé. Jusqu'ici, dans ma rue, y a pas de guerre, mais si ça pète faudra bien que j'me mette avec un. Y a pas de guerre où on peut s'en tirer tout seul.

— Hmmm !

Socrate aurait voulu répliquer au gamin mais il ne trouvait pas d'arguments. Darryl connaissait mieux que lui le quotidien des enfants de la grande ville. Dans ces quartiers, il en mourait tous les jours sur le trottoir.

— Eh ben, le v'là, ton problème, Darryl.

— Quoi ?

Il regarda tout autour de lui sans rien remarquer de particulier.

— Essayer d'trouver un moyen pour que des gosses se fassent plus tuer. Essayer de rendre les choses meilleures pour les autres, autant que tu peux.

Il leur fallut environ une heure pour arriver sur Marvane Street, une vaste rue bordée de grandes maisons qui avaient été divisées en appartements plusieurs décennies auparavant. Certaines d'entre elles avaient brûlé, laissant des terrains vagues entre les immeubles surpeuplés. Au milieu des gravats et des ordures, les petits jouaient, les sans-abri s'étendaient pour dormir.

Au fond de l'un de ces dépotoirs à ciel ouvert, une vaste bâtisse à un seul étage avait vu toutes ses fenêtres condamnées par des planches. Une unique porte métallique permettait d'y accéder. Devant, une douzaine d'oisifs allaient et venaient sur des jambes vacillantes. Certains parlaient en groupes, d'autres se contentaient d'écouter la musique que faisait leur sang. De temps à autre, une silhouette furtive se glissait à l'intérieur de la maison ou en sortait.

— C'est ici que Jamal vient se faire sucer ? interrogea Socrate.

— J'pense. J'y suis jamais allé.

— Pourquoi ?

— Ça a l'air dégueu, affirma Darryl en fronçant les sourcils.

— C'te piaule, elle fait partie du problème, énonça Socrate tandis qu'ils passaient devant, de l'autre côté de la rue.

— Ah ouais ? Et j'suis censé faire quoi contre ça, moi ?

— Je sais pas. Tout ce que j'sais, c'est qu'elle en fait partie. La came, elle tue les gens plus vite qu'une crise cardiaque, par ici.

— Et le reste du problème, il est où ?

Ils avaient déjà dépassé le repaire de dealers et approchaient d'un autre immeuble, dont le porche était surmonté d'un écriteau : « Les Jeunes Africains ». Un ancien meublé transformé en bureaux. Derrière les fenêtres et dans le jardin, on apercevait des femmes et des hommes vêtus à l'africaine pour la plupart. Un gardien se tenait près du portail. Il portait, lui, un costume noir, un tee-shirt anthracite, des lunettes de soleil et une casquette à courte visière.

— T'as déjà été ici, Darryl ?

— Oh non, mec, répondit le garçon comme s'il répétait une phrase déjà entendue. Ces négros-là, i'sont à la masse.

Socrate éclata soudain d'un rire haut perché, enfantin presque. Il tapa sur l'épaule de Darryl, manquant de l'envoyer à terre.

— Ouais, c'est sûr que t'es un malin, toi ! (Il ne riait plus.) Un gros malin, ouais.

Ils poursuivirent leur chemin. Trois maisons plus loin, sur le même trottoir que le QG des dealers, une bâtisse de moindres proportions était entourée d'une grille visiblement neuve. À l'intérieur, un gros bonhomme était occupé à arroser la pelouse, un énorme cigare au coin de la bouche.

— Viens par ici, 'ti.

Socrate s'était déjà engagé sous le haut porche de l'immeuble qui faisait face à la maison grillagée. Parvenu en haut des marches, il s'assit en faisant signe à Darryl de l'imiter.

— On fait quoi, là ?

— Tu vois quoi ? lui demanda Socrate en montrant du menton l'habitation sur le trottoir opposé.

— Une piaule.

— Quoi d'autre ?

— Mais j'sais pas, moi ! Une piaule, avec un gros type qui tient un tuyau.

— Et encore ?

— Quoi ? Euh, ouais, voyons... Deux étages, elle a. Et puis... (Il comptait sur ses doigts sans quitter la façade sombre du regard.) Et puis onze fenêtres. Et puis, le grillage il est neuf. Et puis... et puis c'est tout.

— Ouais, ouais... Tu veux boire ?

Il sortit une gourde de sa vareuse militaire et la tendit à son protégé. Du soda. Le garçon la vida d'un trait avant de demander :

— Et maintenant ?

— Continue à bien zieuter. Tu vas p'têt' voir encore une 'tite chose.

— Tiens, salut, Socco !

La voix venait de l'immeuble derrière eux. Darryl et Socrate observaient toujours la maison d'en face. Le gros bonhomme avait disparu à l'intérieur.

— Salut, Right, fit Socrate en se retournant.

Avec un grognement qui trahissait son âge, il se leva pour serrer la main à son ami.

Right Burke, l'ancien combattant infirme, était encore plus vieux. Et il était à peine plus grand et moins fluet que le petit Darryl. Mais dans ses yeux noisette il y avait toute la force dont un homme peut avoir besoin. La première fois qu'il avait vu ces yeux, Socrate avait compris qu'ils étaient ceux d'un ami véritable, auquel on pouvait faire confiance.

— Voilà, avec mon compère Darryl, on est en train d'regarder notre maison.

— Enchanté, dit Right en tendant la main au garçon, qui se mit debout à son tour.

Sans relâcher son étreinte, Right lui demanda :

— T'as vu quèqu' chose, alors ?

Puis il lui adressa un clin d'œil et abandonna sa main.

— Onze fenêtres, j'ai vu.

Avec un bon rire, Right prit place sur la marche à côté d'eux.

— Et Luvia, où elle est ? questionna Socrate.

— À l'église. I' préparent des tourtes à la patate douce pour la fête de quartier qu'on a demain. Hé, tu sais bien qu'si elle était là, elle t'aurait déjà éjecté d'cet escalier à coups de lattes !

— Luvia est la patronne, ici, expliqua Socrate à Darryl. C'est comme qui dirait une maison de retraite privée.

— Ah, fit le garçon, dont l'attention restait accaparée par la bâtisse en face. Pff, non, j'vois rien ! Tout c'que j'vois, c'est onze fenêtres avec les stores baissés.

— Ah, là t'as quèqu' chose !

Darryl plissa les yeux, en vain. Des volets, et alors ?

— I' fait grand soleil, aujourd'hui, nota Socrate.

— Ouais ?

— Alors pourquoi i' seraient tout claquemurés comme ça quand y a un si beau temps ?

— Eh ben... Pasqu'i' dorment ?

Right rit à nouveau :

— Ah, elle est bonne, celle-là !

— Personne dans le jardin. On est samedi et personne vient en visite. Et l'garage, bouclé. Tu la vois pas, mais dans c'garage y a une camionnette Ford qui sort toutes les nuits, tard. Bon, et ce store, au deuxième, là, tu l'vois ? Celui qu'est tout au bout à droite ?

— Euh, ouais.

— I' t'inspire rien, çui-là ? L'a pas un truc spécial ?

— Possible.

— Possible comment ?

— I'brille, comme. Oh, j'sais pas !

— Mais si, qu'tu sais ! I'brille, exact. Et pourquoi ? Pasque les autres sont en tissu, mais lui pas. L'est en plastique. Et tu sais pourquoi ?

— Paaaasque... Pasqu'i' font quèqu' chose de spécial là-haut ?

Les deux hommes partirent d'un éclat de rire. Sourcils froncés, Darryl baissa les yeux au sol.

— Hé, on rit pas d'toi, Darryl. Commence pas à bouder, maintenant. C'est juste que t'as dit quèqu' chose de marrant. Alors, tu vois, c'te piaule, là, c'est tous des cognes dedans. D'la « surveillance », i' font. Passent leur temps à espionner. Et qui ? « Les Jeunes Africains », voilà qui. Et tu sais pourquoi ?

Darryl était piégé, il l'avait compris. Le dos voûté, il laissa retomber sa tête sur son épaule.

— C'est qu'ces « négros », ces étudiants de négros, i'leur causent du souci. P'têt' qu'i' fabriquent des bombes là-dedans ? Ou pire, même : p'têt' qu'i'vont réussir à faire voter tous les autres négros. Et les flics aussi, c'est des Blacks. On les a vus, Right et moi. Des flics noirs qu'espionnent des étudiants noirs pendant que ton Jamal i'va s'faire sucer la bite à côté. Ça t'paraît comment, ça, Darryl ? C'est bien, c'est juste ?

Le garçon fit non de la tête, très embarrassé.

— Trois flics par tour de garde, trois tours par vingt-quatre heures, précisa Right. Tu vois, on a calculé, nous : avec primes et frais tout compris, ça leur coûte au moins deux mille cinq cents dollars par jour à surveiller ces gosses-là. Et ici même, t'as vingt personnes âgées qu'ont à peine de quoi s'payer à manger. C'est pas une honte, ça ?

— Et comme si ça suffisait pas, tout près, pratiquement la porte d'à côté, t'as ces bougres qui vendent du crack, renchérit Socrate. Sous leur nez, présentement, sous le nez des flics. Et ces flics, i'sont là... Depuis combien de temps, Right ?

— Un mois.

— Un mois, répéta Socrate. Un mois. Et dans l'dernier mois, rien qu'dans cette rue, y a eu une demi-douzaine de bougres flingués ou étripés. Quand on appelle le numéro d'urgence, les cognes mettent au moins un quart d'heure à décrocher et ici, dans c'te piaule, i'risquent même pas un œil dehors. Rien, i' mouftent pas !

— Ouais, grogna Right. Une honte, c'est. Une sacrée honte.

— Socrate Fortlow ! (C'était une voix de femme, impérieuse.) Vous fabriquez quoi dans mes escaliers ?

— Aïe, aïe, fit Right.

— 'Jour, Luvia, lança Socrate à une dame au visage émacié qui grimpait en hâte les marches. (Il se leva pour l'accueillir.) Lui, c'est Darryl. Darryl, mets-toi un peu sur tes jambes et salue la propriétaire de Right.

Le garçon obéit, tendant la main à la femme mince comme un jeune bouleau.

— Qui est-ce, Socrate ?

— Mon ami. Anciennement voleur de poulets, de son état. Un 'ti bougre à la recherche d'une bonne action à faire.

— Eh bien, laisse-moi te dire une chose, mon garçon, déclara-t-elle. Si tu veux faire quelque chose de bien, tiens-toi à l'écart de cet individu-là. Il est tout sauf bon, celui-là.

— Ça va, Luvia, ça va. Vous êtes pas obligée d'm'ai-

106

mer. Mais ce Darryl, là, i's'pourrait bien qu'i' vienne par ici de temps à autre. Vous détestez tous les hommes, d'accord, mais j'espère que vous gardez un brin d'cœur pour un petit d'homme...

Right se mit à rire. Luvia lui donna un coup sec sur l'épaule.

— Disparaissez de chez moi, Socrate Fortlow ! cria-t-elle. Tout de suite !

— À plus tard, Right, dit le visiteur.

En compagnie de Darryl, il redescendit le porche et s'éloigna dans la direction d'où ils étaient venus.

3

— Pourquoi qu'elle a la haine contre toi ? voulut savoir Darryl lorsqu'ils eurent tourné au coin de la rue.

— Oh, c'est une femme de bien, 'ti, répondit Socrate en souriant. Une femme bonne, très bonne. Elle tient c'te maison pour des pauvres bougres noirs et la moitié du temps elle a plus un rond à la fin du mois. Si y avait pas les dons qu'i' collectent à l'église, ça fait longtemps que l'huissier s'rait venu la mettre dehors.

— Mais pourquoi qu'elle t'aime pas ? insista Darryl.

— Pasque c'est une femme de bien, j'te dis... (Il y avait une nuance mélancolique dans sa voix.) Et moi, j'suis loin d'être comme elle. Cette Luvia-là, elle renifle le mal en moi. La première fois qu'elle m'a vu, elle a compris qui j'suis, moi. Et tu sais, c'est une vraie chrétienne, aussi.

— Mais si elle a d'la religion, elle devrait t'pardonner, non ?

— Les chrétiens i' croient à la rédemption, exact. Seulement, en général, faut d'abord mourir avant d'l'obtenir. Oh, si j'viens à crever, j'pense que Luvia dira un ou deux mots gentils pour moi. Mais faudra au moins ça, oh oui. Faudra au moins ça.

Ils s'arrêtèrent à un kiosque de Central Avenue pour acheter des esquimaux puis continuèrent jusque chez Socrate.

— Tu passes un bon moment, Darryl ?

L'après-midi tirait à sa fin. Du côté de l'océan, le ciel était en train de virer d'un bleu poussiéreux à une nuance corail.

— Ouais, répondit Darryl d'un ton hésitant. Mais... Mais j'sais toujours pas c'que j'dois faire, moi. La baraque des dealers, ces « Jeunes Africains », ça me dit quoi, à moi ? Rien. Et puis ces flics-là, j'te l' dis tout de suite, j'm'en approche pas. Moi, j'suis petit. I'm'faut une 'tite chose à faire.

Socrate sourit. Il commençait à avoir mal aux jambes d'avoir tant marché.

— « Les Jeunes Africains », t'en penses quoi ? J'veux dire, comment ça s'fait qu'tu les aimes pas ?

— Pfff, tu sais bien. Toujours à causer comme s'i' savaient tout et que nous on est des abrutis avec notre zique et le reste. Ouais, quoi, i' sont dans leur piaule à nous dire comment qu'i' faut vivre, mais i' sont du pareil au même que nous, hein ? Pas d'fric, pas d'belles caisses, i'valent rien d'plus que nous.

— Et alors ? Au moins i's'décarcassent pour qu'les choses soient un peu mieux. Pas vrai ?

— Ptêt' que oui. Mais ça m'force pas à les aimer, là.

— Attends, 'ti frère, on s'arrête une minute. J'ai pas tes jambes, moi.

Socrate fit halte et s'appuya contre le haut mur d'un entrepôt. Il reprit sa respiration, souriant au ciel multicolore.

— Moi non plus, j'les aime pas. Enfin, j'aime bien

comment i' causent, mais parler c'est une chose et agir c'en est une autre. I' savent pas s'y prendre avec les gens.

— Tu veux dire quoi ?

C'était une question sincère, pensa Socrate. Elle démontrait que Darryl éprouvait un véritable respect envers lui, qu'il était réellement désireux de connaître ce qu'il pensait. L'idée que le garçon puisse attendre son avis était effrayante.

— J'veux dire qu'les gens, on leur fait pas la leçon, on les aime, point. Pas besoin d'bureaux, ni d'imprimerie, ni de grilles autour. Non, suffit d'faire comme Luvia. D'ouvrir ses bras et son porte-monnaie. Et alors, les flics, t'en as rien à battre. Les flics, c'est que dalle. Seulement, tu laisses pas des dealers squatter dans ta propre rue, hein. Oh non... (Il fit une pause.) Tu dois aimer ton prochain. Et si tu l'aimes, alors tu fais en sorte qu'i' risque rien.

— Comme dans un gang, observa Darryl.

— Ouais. Dans un sens, ouais... Mais dans un autre, non. Ces « Jeunes Africains », i' sont comme un gang, t'as raison. Avec leurs règles, leurs signes de ralliement. I' sont prêts à partir en guerre. Et ça, c'est vrai qu'des fois, la guerre, faut y aller. Mais le plus souvent, c'est aider les autres qu'i' faut. J'veux dire, on doit s'amuser, et bien manger, et aller s'coucher en sachant que dans sa rue y a personne qui meurt la faim.

Les yeux de Darryl étaient plongés dans ceux de Socrate. Le mot « faim » l'avait fait tressaillir. Son mentor s'y était attendu.

— Alors c'te dame qui peut pas t'voir, c'est la seule qui s'conduit bien là-bas, remarqua finalement le garçon.

— Eh oui. Celui qui soulage ses frères noirs, c'est l'seul qui a le droit de partir en guerre.

Ils reprirent leur marche. En silence, ils arrivèrent à

la maison, entrèrent, utilisèrent les toilettes l'un après l'autre.

Ils s'étaient assis dans la cuisine quand Socrate demanda :

— Alors tu vas faire quoi, maintenant ?

— Faut qu'je rentre chez moi.

— Non, j'veux dire « faire », 'ti.

Darryl le fixa mais il n'avait pas de mots dans sa bouche, pas de pensées au fond de ses yeux. Cela rappela à Socrate les jours, les années passées sous les verrous avec la tête entièrement vide, que la vie se résumait à ressentir de la douleur ou non.

— J'devrais faire quoi ? risqua l'adolescent.

— J'en sais rien, Darryl. Rêver, p'têt'.

— Hein ?

— Ces mauvais rêves, t'en as toujours ?

— Pas trop, non. Quand j'en ai, j'me réveille, j'me dis que j'vais faire quèqu' chose et j'me rendors.

— Bien, approuva Socrate. Pasqu'un jeune, faut qu'i' dorme, tu sais. Comment qu'i' pourrait aller à l'école et répondre aux questions pas faciles que t'as devant toi s'i' t'manque du repos ?

— Des questions ? Quelles questions ?

— Marvane Street.

Darryl pencha la tête de côté, la hocha à deux reprises en clignant des yeux. Socrate posa une main sur son épaule.

— Tu vois, Darryl, un pauvre 'ti bougre comme toi, y a qu'deux choses qu'i' peut faire.

— Quoi ?

Darryl tendit les doigts pour toucher le bras de Socrate. L'effleurer, plutôt. Un bref instant. Pas douloureux. Pas du tout.

— D'abord s'en tirer. Survivre. Ensuite, faut réfléchir. Réfléchir et rêver.

Darryl opina du bonnet.

— Ouais, mais sans doute qu'j'vais laisser ma peau.

110

— Oh non, 'ti. J'laisserai pas ça arriver.

— Et comment qu'tu pourrais ?

— J'sais pas. Mais j'suis pas seul. Si ça s'met à flinguer dans ton quartier, tu viens ici. Et si j'peux pas aider, on va voir Right et Luvia. Luvia, elle a toute une Église avec elle. (Un silence.) Tu sais, Darryl, un gars comme toi, i's'pourrait que t'auras à passer clando.

— Comment, clando ? Dans une cave ?

— Pas vraiment. Mais te cacher, mettre la distance avec les autres. Tu s'rais là toujours mais eux, i'l'sauraient pas.

— Et s'i'viennent me choper à l'école ?

— Alors tu laisses l'école et tu apprends ailleurs.

— C'est possible, ça ?

— Tout est possible, 'ti. Tant qu'y a d'la vie, tout est possible.

4

Cette nuit-là, Socrate fit un rêve.

Il rêva qu'il dormait dans une toute petite pièce, un placard pratiquement. Il était en train de rêver à la pluie quand on frappa à la porte, violemment. Il sursautait et se recroquevillait sur le lit de camp, effrayé par la brutalité de ces coups qui l'avaient tiré du sommeil.

— Socrate ! rugissait une voix de basse. Socrate !

À ce moment, il se réveilla.

Il était à peine rendormi que la grosse voix recommença à l'appeler, encore plus fort, si fort qu'il reprit brutalement conscience.

Cela se répéta à cinq reprises. La dernière fois, haletant de peur, il décida qu'il ne fuirait plus devant la voix.

Alors il se rendormit et entendit à nouveau qu'on criait son nom.

— Tu veux quoi ? hurla-t-il, honteux de se sentir frissonner.

— Sors de là ! commanda la voix.

Socrate ouvrit la porte pour se retrouver devant un colosse d'un noir de jais, avec un nez incroyablement épaté et de grosses lèvres sensuelles. Des yeux implacables, des épaules larges comme une voile.

— Viens, dit-il, et ils partirent sous la pluie battante.

Socrate trouva que le ciel était étrange. Il pleuvait à verse dans la nuit, les nuages étaient bas et pourtant il apercevait au loin une petite colline illuminée par le clair de lune. Et la lueur de l'astre baignait aussi le champ qu'il traversait avec le colosse.

Ils marchèrent si longtemps que ses jambes le faisaient souffrir. Enfin, ils parvinrent à une immense arche en pierre. Une inscription était gravée dans la clé de voûte : « Ses âmes. » Après l'arche, sous la pluie et la lumière dorée de la lune, un cimetière s'étendait à perte de vue, sur des centaines de kilomètres, si loin qu'on apercevait le jour suivant tout au bout.

C'était là que reposaient tous les Noirs morts de chagrin. Chaque tombe était marquée d'un minuscule fragment de granit, à peine plus grand qu'une pièce de un dollar.

— Là ! fit le colosse en tendant une pelle à Socrate. On va tous les déterrer, maintenant. Le temps est venu.

— Tout ça ? hurla Socrate par-dessus les rafales.

— Jusqu'à la dernière, oui.

— J'peux pas !

— Essaie, au moins !

— Ça me tuerait !

D'une main encore plus puissante que celle de Socrate, le géant désigna la mer de tombes :

— On meurt tous !

Socrate se réveilla à nouveau. Assis sur le canapé, il

se mit à rire, si fort qu'il dut se lever, si fort qu'il en eut mal aux côtes et tomba à genoux. Quand il s'arrêta de rire, il courut aux toilettes et vomit son dîner de la veille, du bœuf aux champignons.

— C'était comme..., devait-il tenter d'expliquer à Right Burke quelques semaines plus tard. C'était comme si j'étais un gosse qui voit la foudre tomber pour la première fois d'sa vie. Les éclairs me faisaient tourner la tête mais le tonnerre, le tonnerre i'm're-tournait les tripes.

Absence

1

Il était dix-sept heures trente-six à la nouvelle montre digitale de Socrate lorsque Corina Shakur arriva chez lui. Il savait que c'était elle qui frappait et cependant il alla jusqu'à la porte. Elle se tenait à quelques pas du seuil, apparemment sans aucune intention d'entrer.

— Vous l'avez pas vu ? interrogea la grande jeune femme, dont les lèvres et les narines palpitaient de dégoût.

— 'Jour, Corina, fit Socrate avec un sourire. Qu'est-ce qui t'amène ? Tu cherches Howard ?

Elle était trop en colère pour répondre à la question, pourtant posée d'un ton gentil. Oscillant la tête de droite à gauche, elle crispa les épaules comme si elle ne voulait faire qu'un poing de son corps.

— Entre, voyons, entre.

Sans lui laisser le temps de refuser, il repartit à l'intérieur. En trois pas, il avait traversé la cuisine et disparu dans ce qui lui servait de chambre à coucher.

— J'te ramène une chaise, Corina, lança-t-il de la pièce. J'm'en suis trouvé d'occasion et j'les ai un peu retapées.

Il revint avec deux sièges en tube chromé et vinyle

jaune. Corina était sur le seuil. Le soleil derrière elle découpait sa longue et sinueuse silhouette.

— Entre donc, Corina, répéta-t-il.

Ébloui, il souriait. Il se sentait plein d'entrain.

— J'ai pas de temps à perdre par ici, Socrate Fortlow, répliqua Corina.

On aurait cru qu'elle était en train de le héler de l'autre rive d'un fleuve.

— D'accord, admit Socrate. (Il plaça une chaise en face d'elle, dans la cuisine, et s'assit.) Mais tu vois pas d'mal à c'que j'repose un peu mes os, bien vrai ?

— Faites c'que vous voulez.

— Alors, tu cherches Howard ?

— Vous l'avez vu ?

— Pourquoi t'entres pas, Corina ? dit-il avec un reproche voilé. Tu veux un café ? Tu sais, des jeunes dames en visite, j'en ai pas si souvent. Rien qu'te voir sur ma chaise, ça m'réjouirait.

Corina soupira.

— J'peux pas rester longtemps. Les gosses sont avec ma sœur.

Lorsqu'elle s'approcha, il bondit sur ses pieds et se détourna pour cacher sa jubilation. Il rapprocha les chaises de la table pliante puis alla allumer le camping-gaz sur l'évier.

— Où qu'il est, Howard ? interrogea-t-il tout en remplissant une casserole d'eau au robinet.

— Vous l'avez pas vu ? Vraiment ?

Ses yeux étaient secs mais elle avait une petite voix, une voix de fillette triste.

— Non. (Il posa la casserole sur le feu, vint s'installer sur la chaise pliante en plastique qui avait jadis été son unique siège.) Qu'est-ce qui s'est passé ?

Corina lui plaisait, depuis toujours. Le genre de visage sur lequel toutes les émotions se lisaient facilement, malgré tous ses efforts pour paraître renfrognée. Elle se tenait bien droite, elle était longue et

115

mince mais elle avait un petit ventre qui suggérait le confort, la vie tranquille du Vieux Sud.

Si Corina n'avait jamais eu confiance en lui, il ne lui en voulait pas. Il savait que toutes les femmes qui s'étaient méfiées de lui n'avaient écouté que leur bon sens.

— On a eu une dispute hier soir et il est parti. (Elle se laissa aller contre son dossier et lutta contre les larmes.) Jamais il a passé toute la nuit dehors, jamais...

— Hmmm ! (Socrate se leva pour aller inspecter la casserole, tout en sachant pertinemment qu'elle ne bouillait pas encore.) Pourquoi vous vous êtes disputés ?

— Pour rien ! Juste, j'ai dit qu'il pourrait essayer de prendre un travail au McDo ou ailleurs, le temps d' retrouver quelque chose dans l'informatique. Il est au chômage depuis neuf mois maintenant, et moi, chez Penney, i'm'réduisent mes heures. J'ai seulement dit qu'provisoirement, là, i'pourrait faire ça...

— Et alors, il a pas aimé ? Y a quoi d'mal, là ? I veut pas bosser ou quoi ?

Il prit une longueur de gaze, la replia deux fois et versa trois cuillerées de café moulu au milieu.

— Non ! protesta Corina. L'est pas feignant, Howard. L'a sa fierté, c'est tout. I' dit qu'i' vaut mieux que d'griller des hamburgers pour les morveux.

— Mais l'est pas trop fier pour laisser sa femme aller gagner seule l'argent du foyer, hein ?

Socrate avait réuni la gaze en un petit sac et la nouait avec du fil.

— Howard a pas peur du travail, plaida Corina. L'avait un bon job au service des parkings, et puis y a eu tous ces licenciements...

Socrate l'écoutait, son filtre à café dans une main, un entonnoir en acier dans l'autre.

— Mais c'était y a presque un an, Corina. Hé, Winnie et Howard Junior, i'vont pas arrêter d'grandir pasque leur papa peut plus leur payer d'habits.

— Ça, c'est vrai, approuva la jeune femme. J'ai essayé d'lui expliquer que l'important, c'est pas c'qu'on a en tête, c'est comment vos gosses se sentent. Y a que ça qui compte.

Socrate plaça la balle de gaze dans l'entonnoir et l'introduisit en haut d'une cafetière en Pyrex qui avait la forme d'un sablier.

— L'a pas appelé, rien ? demanda-t-il en se rasseyant.

— Non.

— Alors c'est un crétin, c't'homme-là. Quoi, une femme comme toi, i'l'envoie trimer tous les jours, dans cette ville de fous dangereux ! Une femme qui lui a donné des enfants, et qui les nourrit. Oh, tu sais, si c'était moi j'travaillerais au McDo l'après-midi et au Burger King le soir !

Et il lui décocha sa grimace la plus affable. Une ombre de sourire apparut sur les lèvres boudeuses de Corina.

— J'en demande pas tant, se défendit-elle. Bon, j'ai ma place chez Penney, j'ai tout le ménage et la cuisine, et les gosses, j'peux pas les lâcher une minute des yeux. Dès qu'ils sont dans la rue tout seuls, les balles s'mettent à siffler.

— Je sais, dit Socrate.

Elle avait raison, mais il voulait adresser un autre message à l'épouse de son ami.

— Dans c'monde-ci, ma 'tite fille, faut que t'aies des yeux derrière la tête, les oreilles dressées, et le doigt en l'air pour sentir d'où vient le vent.

Corina avait les dents du bonheur. Pour Socrate, ce sourire était comme un diamant qu'il aurait extrait de la terre.

— Tu veux qu'j'aille t'aider à retrouver Howard ?

117

L'ancien taulard fixait intensément la jeune femme.

— J'sais pas trop, messié Fortlow. Des fois que Howard se mette en rogne s'il apprend que j'raconte nos affaires partout ?

— Et puis après ? Manquerait plus que ça ! Il doit déjà être content s'il rentre chez lui et qu'i' trouve pas un autre homme dans son lit.

— Oh non ! s'exclama Corina en secouant énergiquement la tête et en soutenant le regard de son hôte. Ça risque pas !

— Je l'sais, Corrie. T'es une brave femme. Avec tout cet amour qu'tu donnes à tes gosses et à ton homme, t'as pas le temps de faire des bêtises. J'disais juste qu'i' peut pas laisser une belle femme toute seule et croire qu'les chiens vont pas commencer à tourner autour. Une femme comme toi, elle a besoin de quelqu'un d'aussi courageux et plein d'amour que toi. Voilà pourquoi j'comprends pas ça.

— Vous comprenez pas quoi ?

L'expression apparue sur ses traits atteignit en Socrate une partie du cœur qu'il croyait morte depuis des lustres. Morte avec Muriel, la fille qu'il avait tuée dans sa jeunesse.

Pendant un moment, il resta sans voix. Le sang bouillonnait si fort en lui qu'il eut peur d'être au bord d'une attaque. La chaise paraissait vaciller sous lui.

— Oh, eh bien..., finit-il par bredouiller. Comment on peut laisser la femme qu'on aime même une nuit, j'vois pas. Cette femme i' faudrait qu'elle puisse pas imaginer ça un instant, d'être laissée toute seule. Pasqu'elle est ta vie, c'te femme-là. Ta vie...

Corina Shakur était vêtue d'un jean tout simple et d'une chemise en peau de chamois. Ses cheveux étaient retenus par un chouchou à pois bleus et blancs. Des tennis rouges aux pieds, sans chaussettes. Mains jointes entre les genoux, elle se pencha vers lui. Aucune trace de peur n'était visible sur ce doux visage.

— Vous, vous avez perdu quelqu'un, messié Fortlow ?

La question flotta entre eux quelques secondes. Deux, dix.

— L'eau bout, remarqua-t-il calmement.

Il commença à verser le contenu de la casserole dans l'entonnoir. De lents filets bruns s'accumulaient au fond de la cafetière transparente. Socrate ne les quittait pas des yeux, comme si cela faisait partie de la préparation.

— C'est ça ? insista-t-elle.

Il avala péniblement sa salive, ajouta encore de l'eau. Il alla prendre deux grosses tasses sur l'étagère, en posa une sur la table près de Corina.

— Pardon si on va pas dans l'autre pièce, mais c'est là que j'dors. C'est la pagaille, là-bas.

— Ça m'est égal d'être ici.

Elle ne le quitta pas des yeux tandis qu'il servait le café.

— Tu prends quoi avec ?

— Du sucre, répondit-elle.

Il lui tendit un bol dans lequel elle attrapa trois morceaux. Il s'attarda à chercher une cuillère pour son invitée.

Elle la regardait encore en touillant sa tasse.

— Vous avez perdu quelqu'un ?

Socrate se rassit. Il s'éclaircit la gorge, avala une gorgée de café, toussa.

— Y a eu une fille qui m'a aimé bien bien. Une fois.

— Dans l'Est ? Howard dit qu'vous étiez dans l'Est, avant.

— Dans l'Indiana.

— Et elle est partie ?

Socrate se décida à la regarder en face. Elle avait

vingt-trois ans. Trente-cinq de moins que lui. Pourtant, elle avait un savoir qu'il n'aurait jamais, lui. Elle avait enfanté. Elle devait croire en Dieu, sans doute. Elle se levait le matin en pensant à rendre le monde meilleur, ou en tout cas à préserver ce qu'il avait de bon.

— Comment elle s'appelait ?

— Corrie ? Tu veux qu'i'revienne, Howard ?

— J'crois. (Elle contempla un moment ses doigts effilés.) J'en ai un peu marre, c'est tout. J'essaie que tout aille bien pour lui, vous savez, mais l'est tout l'temps en pétard, tout l'temps. J'lui dis qu'i'devrait pas, qu'i' faut surmonter ça, et i' l'sait bien mais c'est plus fort que lui, comme qui dirait.

Elle prit une gorgée de café. Quand elle passa le bout des doigts sur le bord de sa tasse, Socrate sentit encore son cœur se déchirer.

— Et i'voudrait qu'on sorte, qu'on aille zouquer comme au temps où on bringuait pas mal, seulement on a les gosses maintenant ! Ma sœur, elle peut pas les prendre tous les soirs... Si l'est trop fier, c'est pas d'ma faute. J'veux dire, j'peux pas prendre deux jobs pasqu'i'veut pas en avoir un ! Mais dès qu'j'dis ça, i'devient dingue. Oh, je sais plus si ça vaut la peine, tout ça...

Corina avait les yeux baissés et pourtant elle avait conscience du regard de Socrate sur elle. Il la contempla jusqu'à ce qu'elle ait pratiquement fini sa tasse.

— J'peux te dire quèqu' chose, ma belle ?

S'il avait porté un chapeau à cet instant, il l'aurait posé contre son cœur.

— Quoi ?

— Écoute, j'voudrais pas qu'tu t'fâches ni qu'tu croies que j'essaie d'faire un truc dans l'dos de Howard. Ce s'rait pas moi, ça.

— Bon, messié Fortlow. Vous vouliez me dire quoi ?

— Tu voudrais du gâteau ? J'en ai un bon, au chocolat, du supermarché. Fait d'hier.

— Non, du gâteau j'veux pas. Je vais écouter c'que vous vouliez m'dire et après faut qu'j'y aille.

Socrate se pencha vers elle, ses grosses mains calées sur les genoux.

— T'es une belle fille, Corina. Fine, et solide. Le genre sur qui un homme peut compter. C'qu'on appelait une brave femme, dans l'temps, chez nous autres. Alors, quand j'te regarde, y a une partie de moi qui s'met à espérer que ce fou-là, i' reviendra pas. Pasque moi, tu vois, j'serai à ta porte avec un bouquet de fleurs et des joujoux pour les gamins. Tu sais, rien qu'à te voir ici, devant moi, j'comprends tout ce que j'ai raté dans ma vie... (Elle jeta un regard furtif vers la porte.) Oh, t'inquiète pas, ma 'tite fille. J'sais pas de quoi t'as peur mais j'essaie rien de faire. Et y a pas d'secret entre nous non plus. C'que j'dis là, j'le redirais à Howard aussi bien. Présentement, là, j'lui dirais. Vu qu'moi j'ai rien à perdre, et qu'je l'sais, en plus... (Il reprit son souffle.) Les hommes d'chez nous, i'z'arrêtent pas d'se plaindre que la vie est dure mais i'comprennent rien à rien, la plupart. I'causent d'leur fierté, hein ? Mais la fierté, c'est rien à côté des enfants, c'est rien à côté d'une femme qu'aime son homme.

Il sentait que son visage était baigné de sueur. Il entendait l'urgence sexuelle dans sa voix.

Dans les yeux de Corina, des larmes jaillirent qu'elle ne tenta pas de refouler.

— Maintenant tu vas y aller et moi j'vais partir chercher Howard de ce pas, et j'vais lui dire exactement tout ça. Et s'il écoute pas, alors un jour je s'rai à ta porte avec un job, et des bonbons pour les gosses.

Socrate se leva. Corina l'imita, telle une petite voile prise dans l'appel d'air d'un bateau plus puissant. Il la reconduisit à la porte. En chuchotant, il conclut :

— Te fais pas d'souci, va. Avec la chance que j'ai, i' s'ra à la maison avant toi.

Corina allait partir quand elle se ravisa. Elle hésita ainsi un moment, et soudain ses lèvres généreuses se retrouvèrent près de la bouche de Socrate, à la commissure. C'était un pacte, ce baiser. Elle l'avait écouté, et entendu. Elle n'avait pas peur de lui, pas peur de ce qu'il ressentait.

2

Il la regarda passer son petit portail, s'engager dans la ruelle. Avant de disparaître, elle tourna légèrement la tête pour l'apercevoir une dernière fois.

« Un 'ti coup d'œil et une moitié de baiser, se dit Socrate. P'têt' que si j'patiente encore vingt ans j'aurai droit à un câlin, aussi... »

De retour dans la cuisine, il se sentit épuisé, comme dans le bus après une journée de travail. Il s'assit, reprit sa respiration.

— Tu peux sortir maintenant, Howard.

Le jeune homme surgit de la chambre à coucher. L'expression de ses traits épais aurait suffi à effrayer n'importe qui, mais Socrate n'en avait cure.

— Tu veux t' bagarrer avec moi, 'ti ? demanda-t-il d'un ton neutre. Pasque si c'est le cas, j'espère que t'as pris une bonne assurance pour tes gamins.

— Mais bordel, ça veut dire quoi, d'la faire entrer ici et d'lui causer comme ça ?

— Tu veux pas un whisky, Howard ? (D'une main lasse, il désigna le placard sous l'évier.) Y en a par là.

Howard s'accroupit, attrapa une bouteille et se releva avec le grognement poussif d'un garçon trop gras. Sur l'étagère, il prit deux verres.

— Ça veut dire quoi, débiter toutes ces conneries à Corina ?

Il s'assit sur la chaise que sa femme venait de quitter.

— J'lui ai rien dit d'plus que c'que j't'ai dit y a une heure. Et c'était quoi ? Qu't'es malade dans ta calebasse.

Socrate avala une gorgée de son whisky de mauvaise qualité. Il fit la grimace.

— Mais c'est la manière que tu lui as causé, mec ! T'essayais quoi, d'faire une passe sur ma meuf ?

— Oh que oui, oh que oui... Mais t'es aveugle ou quoi, Howard ? Une femme comme ça, l'allure qu'elle a, et vaillante en plus. C'est d'l'or, une chérie pareille.

— Hé, c'est d'ma meuf que tu causes, mec.

Howard Shakur vida son verre d'un trait et s'en versa un autre.

— Non, pas du tout. Oh non...

— Comment ça, c'est pas ma meuf ? À qui elle est, si c'est pas à moi ?

D'un geste foudroyant, qui tranchait avec sa placidité habituelle, Socrate lui emprisonna le poignet dans ses doigts.

— Aïe ! cria celui-ci en essayant sans succès d'échapper à l'emprise du vieil homme.

— Laisse-moi te dire quèqu' chose, 'ti. Tant que t'es ici, tant que t'es pas à côté d'elle, cette fille, elle appartient à qui elle veut. Y aura pas un bougre assez bête pour s'dire : « Ouais, j'f'rais mieux de pas m'approcher au cas où le Howard, i' décide un jour d'rentrer chez lui. » Arrête de déconner, oh ! Une femme comme Corrie, elle tournerait la tête à n'importe quel homme.

Et il le repoussa si violemment que Howard tomba en arrière avec sa chaise.

Il se releva aussitôt et se mit en garde. Socrate se dressa lui aussi, menaçant. Il était plein d'énergie, désireux de passer à l'action. Et puisque ce ne serait pas avec cette fille, il pouvait au moins casser la figure à Howard...

Seulement, le jeune homme n'avait pas assez bu pour se risquer aussi loin. Il ne tenta rien de plus qu'un reniflement méprisant.

— J'croyais que t'étais mon ami...

— Quand i' s'agit d'une femme comme Corrie, y a plus d'amis, Howard. C'est c'que j'essayais d'te faire comprendre avant qu'elle se radine ici. C'est d'une femme qu'on cause, hé ! Pas d'un chien, ni d'une bagnole que tu gares quèqu' part et qu't'oublies. C'est une femme et elle a besoin d'un homme. Bon, pour l'instant elle veut bien que ça soit toi, son homme. Pour l'instant. Mais tu sais, d'ici deux jours, moi j'y vais. Crois-moi, j'y vais. Comme ça toi t'auras ta liberté et moi le bonheur.

— Oh mais ça va pas, ça, mon frère, protesta Howard. Ça va pas du tout ! Moi j'viens te trouver, j't'raconte mes problèmes et toi tu t'mets à courir après ma meuf.

— T'as dit que t'en voulais plus, d'elle. Tu l'as pas dit ?

— J'ai dit que j'pouvais plus vivre là-bas. Hé, elle est toujours après moi...

Il redressa sa chaise, se rassit dessus. Fusillant la table du regard, il se servit un autre verre.

— Ah ouais ? fit Socrate, posant une main sur son cœur. Eh ben moi, qu'une femme comme ça soit toujours après moi, ça m'dérangerait pas, mais pas du tout ! Ni qu'elle me dise quand j'fais le con. D'accord, elle m'botte le cul mais après elle m'embrasse la bouche... Merde, moi j'serais le premier à attendre !

— Mais c'est ma meuf !

— Alors retourne chez toi et conduis-toi comme tel.

— T'as pas à m'dire c'que j'ai à faire, grogna Howard. J'rentrerai chez moi quand j'voudrai.

— Si t'as encore un chez-toi, d'ici là...

Ils éclusèrent la bouteille. Si Howard buvait plus, Socrate était lui aussi sous l'effet de l'alcool. Entre ses dents, il bredouilla :

— Un crétin, quand i' comprend pas où est la porte, faut lui faire connaître ton sol.

— Tu dis quoi ? intervint Howard, agressif.

— Va t'faire.

— J'me tire, moi ! éructa le jeune homme sans pour autant esquisser le moindre geste.

— Dis, Howard... t'as déjà imaginé Corrie en train d's'envoyer en l'air avec un autre bougre ?

Affalé de toute sa masse sur la chaise, son hôte prit un air menaçant mais ne bougea pas plus.

— Tu vois l'genre, poursuivit Socrate. Un 'ti jeune. En train de grogner, et d's'agiter comme un foutu serpent. Et ta chérie, là, qui crie son nom et qu'a un sourire comme si elle voyait le paradis s'ouvrir.

Howard l'ouvrait, la bouche. Pas pour parler, mais parce qu'il étouffait.

— Finalement, c'est pas si mauvais, poursuivit Socrate en tenant la bouteille renversée au-dessus de son verre et en tardant un moment à comprendre qu'elle était vide. Oh non, pas si mauvais. Pasque tu vas t'trouver une nouvelle chérie qui roucoulera pour toi. Et même, tu vas croire qu'elle chante mieux que toutes les autres. Et ptêt' qu'tu f'ras mieux de ne pas penser à ce qui se passe quand ce 'ti bougre descend de Corina, vu qu'i' va faire quoi ? Vu qu'i' va ramasser un de tes vieux slips et s'essuyer avec, et après il va dans l'autre pièce et tes gosses, Winnie, Howard Junior, i's'mettent à sauter et à gambader et à crier « Papa, papa ! »...

Socrate se laissa aller contre son siège. Quand sa main quitta la table, il lâcha la bouteille qui se brisa sur le sol. Les deux hommes restèrent à observer les éclats de verre à leurs pieds.

— Enfin, t'es quand même mieux barré que moi,

Howard. Mieux barré. Vu qu'même si t'es un crétin, au moins t'as une femme qui t'a donné des enfants. Même si t'es assez débile pour jamais les revoir, tu les as, au moins...

Howard tomba de sa chaise. Il se ramassa sur un genou et se releva en grommelant.

Socrate l'entendit s'en aller. Il ne bougea pas. Ses yeux erraient à la surface de la table, suivant les dessins du placage en papier.

3

Socrate Fortlow, assassin libéré le jour de son anniversaire après vingt-sept années passées en prison, se lavait à grande eau devant l'évier de sa cuisine. Ensuite, il se frictionna le cou avec l'eau de Cologne d'un échantillon qu'il avait acheté à un vendeur à la sauvette. Il portait un jean noir, un col roulé d'un vert passé. Dans la poche de sa vareuse militaire, il y avait cinq barres de chocolat Hershey aux amandes et une bague en argent mexicaine incrustée de pierres bleues, que lui avait vendue ce même colporteur.

Il parcourut à pied tout le chemin jusqu'à la 121e Rue, à la petite maison rococo qu'habitaient Corina et Howard Shakur. Depuis l'autre jour, il n'avait eu aucune nouvelle d'eux, ce qui n'était guère étonnant : il n'avait pas le téléphone, Howard était sans doute encore fâché et Corina, elle, était chargée de famille...

Sur la minuscule terrasse, un tricycle en plastique était abandonné. Derrière la moustiquaire, la porte d'entrée était restée ouverte. Socrate sentait les battements de son cœur s'accélérer. Il attendit une seconde avant de frapper au cadre en aluminium.

— M'man ! cria Winnie à l'intérieur. Y a quelqu'un !

Avec son tablier orange, Corina était ravissante. Quand elle vit Socrate, un sourire apparut sur ses traits délicats. Ses lèvres palpitèrent, elle allait parler et Socrate espéra qu'elle allait l'invitait à entrer. Mais non, elle appela :

— Howard ! Howard ! C'est Socrate !

Elle enleva le loquet et le fit asseoir sur un canapé chétif, perché sur de minces pieds en bois. Winnie était installée par terre avec une poupée. Howard Junior, un doigt dans le nez, contemplait d'un air stupéfait l'imposant étranger.

Lorsque leur père arriva de la cuisine, Socrate se leva.

— 'Jour, fit Howard en lui serrant la main.

— 'Jour. Comment va ? J'passais juste voir comment vous allez, ici.

— Bien, messié Fortlow, très bien maintenant, répondit Corina.

Elle rayonnait.

— Ouais, annonça son mari. J'me suis trouvé un boulot à Pronto Pizza.

— Ah bon ?

— Oui. I' leur manquait un sous-directeur, alors avec mes références i' m'ont pris à l'essai. Rien que six vingt-cinq l'heure pour le moment, mais si tout marche bien j'passerai à huit quatre-vingt-cinq d'ici six mois.

Tout en parlant, Howard fixait un regard méfiant sur Socrate.

— Asseyez-vous donc, dit Corina.

Son mari tira une chaise face au canapé. Elle courut en chercher une autre dans la cuisine. Son gai sourire ne la quittait pas.

— Quel horaire tu as ? s'enquit Socrate en reprenant sa place.

— Trois heures du mat' jusqu'à onze heures. Mais avec un peu d'ancienneté j'pourrai avoir la tranche horaire de la journée. J'pourrai même passer direc-teur, si y a pas d'lézard.

— C'est super, Howard.

Il le pensait sincèrement, et cependant sa voix n'était qu'un murmure.

— Quand Howard est revenu à la maison, j' lui ai répété c'que vous aviez dit, messié Fortlow, annonça joyeusement Corina. J'lui ai dit que j'pourrais avoir un homme qui bosserait double, pour moi.

Elle prit la main de Howard dans la sienne.

— Ouais, approuva Socrate. L'est pas fou, Howard, oh non... Winnie ?

— Oui ? répondit la petite, très occupée dans son coin avec sa poupée noire.

— Du chocolat, t'aimerais ?

La fillette jeta un regard interrogateur à sa mère, qui hocha la tête. Elle l'imita. Lorsque Socrate sortit une barre Hershey de sa poche, le petit se mit à pleur-nicher en agitant ses menottes en l'air :

— Bonbans ! Bonbans !

— Partage avec ton frère, dit Howard à Winnie.

— D'accord, 'pa.

Ils bavardèrent un moment, puis Socrate se leva pour prendre congé. Corina lui dit qu'ils avaient un déjeuner de famille dimanche prochain et qu'il pou-vait venir s'il voulait.

— Mon paternel, tu vas l'aimer, Socco, affirma Howard en souriant pour la première fois depuis le début de la visite. L'est vieux comme toi.

Déjà dehors, il entendit derrière lui :

— 'Rvoir, messié Fortlow !

Il se retourna. De l'autre côté de la moustiquaire, Winnie était debout contre les jambes de sa mère.

4

En retournant chez lui, il vit une table ronde abandonnée sur le trottoir. Elle était en bois d'érable, sérieusement éraflée, trois pieds sur quatre cassés. Il la hissa sur son dos en l'attachant avec sa ceinture en cuir qu'il ôta de son pantalon. Il charria son lourd fardeau pendant neuf blocs. Il avait fait un pari avec lui-même : s'il arrivait à la porter jusqu'au bout sans la poser à terre, il pourrait la garder.

Ce défi incluait l'hypothèse où un passant viendrait lui proposer de l'aider. Il était alors en droit d'accepter. Personne, cependant, ne s'approcha de lui. Personne ne paraissait même remarquer le vieil homme et sa charge.

Dans les dernières centaines de mètres, ses poumons le brûlaient, ses rotules étaient en feu. En arrivant à son portail en bois, il faillit tout lâcher. Il ne tenait plus la table et ses pieds brisés que de son petit doigt gauche. Parvenu dans le jardinet, il laissa la ceinture filer.

Le dimanche, comme convenu, il se rendit à la réunion de famille. M. Shakur père était aussi gros que son fils. Il passa un agréable moment avec eux. En partant, il annonça à Corina qu'il projetait de les inviter bientôt à dîner chez lui.

Au cours des trois semaines suivantes, Socrate s'occupa de la table. Avec des cornières en fer et de la colle à bois, il répara les pieds et les refixa au plateau après avoir taillé des rainures dans la structure. Il laissa prendre l'ensemble en le maintenant sous le poids d'un sac de sable, ponça le tout, mastiqua les éraflures et passa une lasure protectrice.

Tous les soirs, après une journée passée à transporter les courses des autres, il se penchait sur son ouvrage. Et il allait se coucher en frottant ses doigts engourdis par ce dur labeur.

Lorsqu'il en eut terminé avec sa réparation, il se rendit chez les Shakur et répéta son invitation.

Il cuisina un riz aux légumes, des tripes de bœuf dans une sauce à la tomate, à l'ail et à la vodka, une recette que lui avait donnée le responsable du rayon boucherie au supermarché.

Le dîner fut servi sur la table en érable rénovée.

Il y eut aussi des gâteaux et des glaces pour les petits, du gin-tonic pour leurs parents.

Howard ne lui en voulait plus. Il avait un bon travail, il avait retrouvé sa femme et ses enfants. Le repas était succulent. Corina but plus qu'elle n'en avait l'habitude. Elle gazouillait des gamineries avec Winnie et Howard Junior et faisait les yeux doux aux deux hommes.

Soudain, Socrate se leva et déclara :

— Corina, j'ai quèqu' chose pour toi.

— Ah ? fit-elle, la tête penchée de côté. Et quoi donc ?

— Cette table ci, que j'ai trouvée et remontée. J'veux vous la donner, à vous tous.

— Non ! protesta Corina, qui se dégrisa même peut-être un peu. C'est trop. Elle est si belle...

— Ouais, confirma Howard.

— Ouais... C'est moi qui l'ai avisée dans la rue, et qui l'ai retapée. Et pendant tout l'temps que j'bossais dessus, j'pensais à vous autres, à vous deux. À comment j'voulais dire que ta femme, Howard, elle est merveilleuse, merveilleuse. À comment quand

130

vous vous fâcherez, quand vous en aurez marre, eh ben vous pourrez repenser à tout l'travail que j'ai mis dans cette table-là... (Il s'adressait à Howard mais ses yeux étaient plongés dans ceux de Corina.) Pasque vous savez qu'je suis là, moi, à attendre, alors les bêtises, l'en faut pas, plus jamais, bon sang...

À ce moment, Howard Junior poussa un cri perçant et se mit à rire comme un fou. Avec un sourire étonné, Corina alla vers lui et le prit dans ses bras. Il lui donna une tape sur le nez, rit de plus belle. Elle ne s'en formalisa pas.

— Tu t'sens à la hauteur, frère ? demanda Socrate à son ami.

— À la hauteur... de quoi ?

— On va s'la porter jusque chez vous. En la retournant, ça sera facile.

— Tu veux... Tu veux vraiment nous la donner ?

Howard observait Socrate d'un air interloqué.

— Quand tu t'asseoiras devant ton manger, pense un peu à moi, c'est tout. Pense à moi qui suis ici, et à toi qu'es là-bas, au chaud, au milieu de ta famille.

Le fugitif

1

À sa libération, Socrate Fortlow partit devant lui comme s'il venait de faire le mur de la prison. Aucune famille n'était disposée à l'accueillir. Il n'avait pas d'amis, sinon d'anciens prisonniers comme lui, qui survivaient dans les faubourgs d'Indianapolis, de Gary ou de Chicago.

Pour vingt-sept ans de détention, ils lui versèrent douze cent trente-deux dollars et soixante trois cents. Socrate empocha l'argent et sauta dans un bus pour Los Angeles.

Il avait trois raisons de partir là-bas. D'abord, bien qu'il fût né et eût grandi dans une ferme, il avait perdu tout contact avec la terre. La vie paisible de la campagne n'était plus pour lui : il lui fallait une ville. Ensuite, il avait tant souffert du froid et des courants d'air dans sa cellule qu'il rêvait de s'échapper vers la chaleur de l'Ouest. Désormais, le seul frisson glacé qu'il était prêt à supporter était celui que lui donneraient les milliers de bières qu'il se proposait d'avaler.

Enfin, il avait entendu dire au pénitencier que L.A. était une mosaïque bruyante de villes distinctes, où chacun courait bien trop pour se souvenir d'un visage, d'une date, d'un incident. Pour un ex-taulard, cet anonymat était idéal.

Il monta donc dans un car Greyhound. Il avait les épaules rentrées, l'air renfrogné et silencieux d'un fugitif. Il partit jusqu'en Californie et s'y terra. La vue du moindre policier, le regard du moindre employé d'administration, le moindre bruit de pas derrière lui suffisaient à gâcher sa journée.

Il prit la fuite parce qu'il savait que les flics de l'Indiana ne lui laisseraient pas de répit, qu'ils essaieraient de le faire replonger, et que s'ils tentaient de le renvoyer derrière les barreaux il ferait de son mieux, lui, pour les tuer.

Socrate Fortlow fuyait. C'était une question de vie ou de mort.

Une semaine après sa libération, huit ans auparavant donc, il s'était retrouvé mêlé à sa première bagarre. Il avait été provoqué juste devant chez lui, dans la ruelle, par un jeune costaud du nom de Charles Rinnett. Au milieu de ses copains hilares qu'il cherchait à impressionner, il l'avait traité de « vieux va-nu-pieds », de « fouille merde » et de « putain de clodo ».

Socrate n'avait alors que cinquante ans. Même si c'était le double de l'âge de son agresseur, il avait rapidement convaincu le blanc-bec, par des arguments frappants, qu'il n'était pas un vagabond et qu'il ne s'était jamais nourri dans les poubelles.

« Des fois, y a qu'un nez cassé pour vous faire comprendre, vous les jeunes », avait-il observé tandis que Charles gisait à ses pieds. Il avait dû l'envoyer au tapis à trois reprises avant que le garçon n'ait la bonne idée de rester par terre. Sa bande ne se moquait plus de Socrate, soudain. Ils se mirent à rire de leur ami.

Après cette histoire, Charles ne lui adressa plus jamais la parole. Il était de plus en plus sombre et renfermé. De temps à autre, on le croisait en train de ramasser les bouteilles vides sur les trottoirs de Watts. Toutes ces années, Socrate le vit s'enfoncer dans l'isolement et la saleté.

S'il avait pu, il lui aurait dit qu'il était désolé de lui avoir infligé une raclée, qu'il sortait juste de prison quand la bagarre avait eu lieu. Et là-bas, il fallait cogner fort sur quelqu'un dès les premiers jours de son arrivée. Il fallait montrer tout de suite qu'on n'était pas une lavette. Un combat aux poings, là-bas, c'était une façon de pendre la crémaillère.

Parfois, tout au long de ces années, Socrate s'imaginait engager la conversation avec Charles. Il aurait voulu demander à ce bon à rien aux yeux couards pourquoi il traînait dans la rue.

« Pourquoi qu'tu vis comme un fainéant alors que t'es un homme qui doit gagner sa vie ? » l'admonestait-il en silence dans le bus qui le ramenait chez lui après sa journée de travail au supermarché.

« Et toi, le vieux, qu'est-ce que tu fabriques de si génial ? répondait Charles dans l'esprit de Socrate. Tu vis dans un trou à rat, tu mets des heures à aller bosser dans ton magasin tous les jours. Tu fais quoi ? Tu construis quoi ? »

— J'ai un boulot, mec, murmura Socrate. J'me lève le matin pour aller gratter. J'ai une paie qui tombe. J'ai un compte en banque, moi.

La dame qui était assise en face de lui se leva. Socrate pensa qu'elle allait descendre, mais c'était pour changer de place.

Les doigts posés sur sa bouche, il veilla à se contenir. Mais déjà son interlocuteur imaginaire revenait à la charge : « T'es un négro tout comme moi, le vieux. Quand tu chies, ça pue autant. Pour le Blanc, t'es tout en bas de l'échelle, juste à côté de moi. J'ai rien devant moi, et toi non plus. »

— Mais si ! protesta Socrate tout haut. J'vais où j'veux, moi, bon sang !

Aucun des passagers ne se tourna pour regarder ce bonhomme qui parlait tout seul. Mais ils l'avaient entendu. Et ils auraient pu témoigner sous serment de ce qu'il venait de proclamer.

2

Le samedi matin qui suivait, Socrate prit encore le bus. Il allait à Santa Monica, cette fois. La grande cabine était vide. Il n'y avait que lui et la conductrice, une Noire très bavarde.

— Oh oui, tous mes gosses sont à Atlanta, lui raconta-t-elle. Nous, les gens de couleur, on est toujours sur la route, pas vrai ? Marche, marche, marche... J'leur ai pourtant bien dit qu'i' pourraient rester ici. L'important, c'est d'avoir de bonnes bases quèqu'part, j'leur ai dit. Mais eux, écouter ? Ah non, hein ! I' disent qu'ici, personne donne sa chance à un Noir. Pfff... Moi, j'demande à personne de m'donner quèqu'chose ! On vous donne rien, dans la vie, pas vrai, messié ?

— Euh, des fois, si, une chose.

— Ah ? fit la conductrice. Et qu'est-ce qu'on vous donne ?

— Des fois, un bon coup d'pied au derrière.

Ce qui la fit éclater de rire. Elle riait si fort, en fait, que Socrate craignit qu'elle ne brûle le feu rouge devant eux. Mais non. Dans un tintamarre de freins qui évoquait le barrissement d'un éléphant, le gros véhicule s'arrêta en ondulant. Socrate avait l'impression d'être pris dans une énorme vague.

— Et vous faites quoi par ici, aujourd'hui ? reprit la conductrice. Vous travaillez dans c'coin ?

— Non, j'vais là où j'ai envie, c'est tout. On est pas

des hommes des cavernes, quand même, on a l'droit d'sortir un peu d'son trou, là. J'vais voir l'océan, voilà. Depuis huit ans et demi que j'vis à L.A., la mer, j'l'ai encore jamais vue !

— Aaaah ! Vous au moins vous pigez, exulta-t-elle, ravie de cet inconnu qui reconnaissait enfin la vérité. C'est pour ça que tant de gens i' sont tête en bas, tant de gens... I' z'ont le monde devant eux, là, et que j'te pleurniche qu'y a nulle part où aller. Oh, moi j'suis comme vous, messié. Tu paies ton ticket et tu vas où ça t'chante !

Il descendit au croisement des boulevards Lincoln et Pico, erra un moment dans le quartier jusqu'au moment où il se retrouva en face de tout ce bleu.

À une centaine de mètres du rivage, une piste en asphalte suivait la plage. Des femmes et des hommes à moitié nus, qui avaient tous bonne allure, passaient et repassaient en marchant, en courant, sur des patins à roulettes ou à vélo. Il y avait aussi des surfeurs, des fanas de skate-board, des garçons et des filles en combinaison de plongée. Tout le monde semblait consacrer beaucoup d'efforts à s'amuser.

À Socrate, ce spectacle rappelait la cour de la prison.

Oui, il avait eu la même impression lorsqu'on l'avait relâché du cachot. Après quelques semaines en isolement total, la cour lui avait paru un endroit merveilleux : il y avait du soleil, il y avait de la compagnie, et des haltères, et des jeux de dames ou d'échecs, et des journaux, et à qui parler. Il était encore en prison, évidemment, mais il s'était senti en liberté, soudain. Même la taule a du bon quand on peut se dégourdir les jambes et prendre un peu l'air.

Ce jour-là, le soleil cognait dur sur la plage. Socrate retira ses chaussures et ses chaussettes, les fourra dans les poches de sa vareuse, qu'il enleva et jeta sur l'épaule.

Près de l'eau, presque personne. Quelques joggeurs, et autant de chiens.

Les vagues étaient fortes. Elles éclataient, chuintaient, chantaient en un concert de cloches aquatiques. Ici, tout au bord de la mer, ce bruit envahissait tout, le monde entier se résumait au chant du dieu océan, du dieu azur.

« Dieu, l'est pas tout près, oh non, 'ti, oh non, lui avait dit un jour sa tante, Bellandra Beaufort. L'est à des millions de kilomètres de là, quèqu' part au milieu de la grande mer. Et l'est pas blanc non plus, quoi qu'i' racontent les autres...

— Alors l'est noir, Dieu ? avait demandé le garçon à la femme mince, élancée, sur les genoux de laquelle il était installé, la tête posée contre sa poitrine osseuse.

— Oh non, doudou, pas noir non plus ! Si l'était là près de nous, sûr qu'on aurait pas tous ces tracas, nous autres. Oh non. Dieu, l'est bleu.

— Bleu ? !

— Eh oui, bleu. Bleu comme la mer. Triste et froid et loin comme le ciel est loin et bleu. Pour arriver à Dieu, faut faire un long, long chemin. Et même si t'y arrives, i's'pourrait qu'i't' dise pas un mot. Pas un seul fichu mot, tu vois ? »

Socrate marcha longtemps le long du rivage. En surface, le sable brûlait mais dès que ses pieds s'y enfonçaient ils trouvaient l'humidité. Il allait au nord, dépassant Malibu, face au bleu du ciel et de l'océan, sans jamais s'éloigner du bord, repensant aux sermons de sa tante quand elle lui expliquait que Dieu restait hors de portée et que cependant les hommes essayaient encore et encore de l'atteindre. « Les gens, i' sont jamais contents de c'qu'i'z'ont, alors tu comprends qu'un sur cent se dit content d'son sort, au mieux... »

Il mangea trois bananes et un sandwich au beurre de cacahuète et à la confiture qu'il avait emportés avec lui. La douceur du sable, le vent et les hautes vagues lui donnaient l'impression d'être en proie à la fureur de quelque dieu colérique.

Le soleil, de plus en plus, lui chauffait le crâne. Mais il y avait aussi une brise glacée qui décimait les rouleaux et lui gelait les os.

Il savait que Charles Rinnett n'était jamais allé aussi loin. Jamais de son propre chef, en tout cas, jamais à jeun, jamais les yeux grands ouverts.

— Loin du trou, prononça-t-il pour lui-même. Loin du trou et droit dans la mer.

3

Il avançait, gelé et brûlé à la fois, empli d'une liberté dont il n'avait plus osé rêver depuis le temps où il était un petit garçon dans le giron amer de sa tante. En arrivant tout en haut, le soleil effaça presque tout le bleu du ciel. Puis il commença à descendre.

Il vit des coquillages et des seringues à moitié enfouis dans le sable du ressac. Un groupe de mouettes attaquant les restes d'un chien noir. Les traces laissées par la marée sur la plage. L'écume séchée, comme des traces de sperme çà et là dans les aines du sable.

Tout était rude et magnifique, à l'image de l'idée qu'il s'était toujours faite de la vie. Il se sentait vivant,

vivant. Et il se demanda s'il pourrait abandonner l'existence qu'il s'était forgée, là-bas, auprès de Charles et de ses amis qui ricanaient comme des idiots.

Quand il était fatigué, il s'asseyait. Il avait assez de fruits et de sandwichs dans ses poches. Il savait qu'il aurait dû rebrousser chemin, mais il avait la vague intuition que quelque chose l'attendait, plus loin, quelque chose qu'il pourrait rapporter chez lui, quelque chose qui lui permettrait de ne pas oublier ce qu'il avait vu et ressenti.

En route vers le nord, il croisa nombre de promeneurs. Il ne parla à aucun d'eux, leur adressant parfois un signe de tête, ou un sourire. Parfois, on lui répondait.

Vers la fin de l'après-midi, il remarqua un couple qui avançait plus loin sur le rivage, dans sa direction. L'homme était tout en gris, la femme vêtue de couleurs gaies. Il était massif, elle mince, avec une démarche juvénile. Un de ses bras était passé autour de la taille de son amoureux, elle balançait l'autre en marchant.

Oui, c'était des amoureux, décida Socrate en les observant. Il était plus âgé et elle, elle était le genre de femme-enfant qui rend fous les hommes mûrs. Une double passion les animait. Il allait d'un pas lourd, décidé, alors qu'elle paraissait prête à quitter le sol à côté de lui.

Il espérait qu'ils continueraient à avancer vers lui. Il voulait découvrir leurs traits, leur faire un sourire.

De loin, il avait l'impression que l'homme était noir. Ou mexicain, ou tout simplement un Blanc très bronzé. La fille, elle, devait être une Blanche. Sa peau brillait presque sous le soleil déclinant.

139

Quelle importance, d'ailleurs ? Rien ne comptait vraiment dans la brise légère comme un souffle qui venait du large, dans l'assourdissante rumeur qui était un langage plus ancien que celui des hommes, ou que l'humanité, ou que la vie elle-même. Au fond de son cerveau, Socrate entendait les mots que ce dieu azur était en train de former.

Et cela le rendait comme fou, hébété.

Le couple se rapprochait.

Il pataugeait vers eux.

Lorsqu'ils furent à moins de cent mètres, Socrate n'eut plus d'hésitation à propos de l'homme : c'était un Noir, en effet. La fille, il ne pouvait toujours pas décider. De plus près, elle avait un teint couleur d'olive.

La fille, ou la femme, la Blanche, ou la Noire, peu importait, lui fit un signe de la main. Son cœur bondit dans sa poitrine. Il se sentit à nouveau enfant, sur le point de rencontrer de nouveaux amis près des balançoires.

4

— Salut, fit le Noir bien bâti, tout de gris vêtu. Comment va la vie ?

Sa poignée de main était énergique, puissante. Socrate n'avait pas l'habitude de croiser des hommes aussi forts que lui. D'accord, il n'était plus si jeune, il avait perdu du ressort mais il était encore capable de soulever une grosse poubelle pleine d'eau et de la porter d'un bout de la rue à l'autre.

— 'Jour, dit la jeune femme dans un souffle.

Sa peau était ambrée, ses longs cheveux étaient à la fois blonds et châtains, dans toutes les nuances possibles, à la fois raides et bouclés, ses yeux verts. Mais ce furent surtout ses traits qui laissèrent Socrate sans voix. Un long visage un peu chevalin, un nez qui descendait droit sur des lèvres charnues, de hautes pommettes dont l'effet était atténué par un front bombé.

Une superbe femme-enfant, à peine dix-sept ans sans doute. Une apparition, étonnante, surnaturelle presque.

— On te regardait, annonça-t-elle. Gordo, i' croyait que t'étais un soldat comme lui, mais moi j'ai dit non. J'ai dit que t'avais jamais été dans aucune armée. Vu comment tu marches, personne t'a jamais appris à marcher, toi.

Socrate hocha la tête en souriant.

— Alors ? demanda l'homme.

— Alors quoi ?

— T'as été dans l'armée ou non ?

— Pas vraiment, non.

La fille décocha une bourrade à Gordo en s'exclamant :

— Ahh ! J'ai gagné !

— Tu bois un coup ? interrogea son compagnon.

Se laissant tomber à genoux dans le sable, il fit passer devant lui le sac qu'il portait en bandoulière.

— Elle, c'est Delia.

La fille tendit la main à Socrate. Quand il la saisit, elle le tira en avant, l'obligeant à s'asseoir avec eux.

— Et toi, comment tu t'appelles ?

— Socrate.

— Wouah, dis donc..., lut-il sur les lèvres de Delia.

Elle l'avait peut-être murmuré, d'ailleurs, mais le bruit des vagues avait couvert sa voix.

Gordo sortit de son sac une bouteille de gros rouge.

— On a de l'herbe, aussi. Tu veux fumer ?

— Un peu d'vin, parfait.

Malgré sa chevelure à moitié grisonnante, Gordo avait une tête de gamin. Sa moustache et ses sourcils étaient aussi saupoudrés de gris. Il déboucha la bouteille, avala une bonne gorgée.

Ce fut ensuite au tour de Socrate. Puis Delia tint le goulot au-dessus de sa bouche ouverte et but quelques rasades en renversant un peu de vin sur son gilet en patchwork bariolé. En riant, elle rendit la bouteille à son homme, qui la cala dans le sable.

— Tu fais quoi par ici ? demanda Gordo à Socrate.

— Rien de bien précis, présentement. Une 'tite balade, c'est tout. Ça m'prend tous les vingt ans et quèqu'.

Gordo eut un sourire.

— Tu veux casser une graine ? On a du chili con carne, avec des tortillas chips.

— Et du Coca, compléta Delia.

— J'veux bien.

Mais il était en train de se dire qu'il ferait mieux de rentrer chez lui, de repartir à Watts. Il s'était risqué trop loin, d'ailleurs une voix en lui protestait : « Allez, maintenant tu rentres, Socrate ! » Mais le vent et les vagues la rendaient presque inaudible, dérisoire.

Remontant sa jupe en cuir sur ses cuisses, Delia croisa ses jambes nues dans le sable.

— Un peu plus loin, par là d'où on vient, y a pas mal de bois mort. Dans le ravin. On pourrait y aller. De là, un feu, personne le verra.

Socrate fixait les longues jambes brunes de la fille.

Lorsqu'elle croisa son regard, le sourire de Delia se mua en un rire silencieux.

5

Ils remontèrent la plage pendant un peu plus d'un kilomètre puis passèrent sous l'autoroute du Pacifique par un fossé de drainage en béton. Le canyon dans lequel ils s'engagèrent était étroit, anonyme au milieu des contreforts montagneux de Santa Monica. Dans le lit asséché du torrent, entassés là par d'innombrables marées d'équinoxe, il y avait des monceaux de branches et de bois mort.

— Tu viens souvent par ici ? demanda Delia à Socrate alors qu'ils se faufilaient entre les rochers.

— Ici, jamais.

— C'est marrant, pasque c'est comme qui dirait sauvage, et en même temps non, expliqua-t-elle en montrant du doigt les hauteurs abruptes du ravin.

D'abord, Socrate ne vit que le ciel, d'un bleu plus sombre maintenant que la nuit venait. Puis il remarqua des points lumineux, les lumières des maisons bâties tout au bord du canyon, à la limite du précipice, comme prêtes à plonger dans le vide. Certaines étaient d'ailleurs déjà tombées, victimes de l'érosion et des coulées de boue. Un mur entier de blocs rose saumon avait ainsi été entraîné au fond du ravin, témoin muet de l'une de ces catastrophes.

— Si j'pouvais avoir ma piaule à moi, déclara Gordo, les yeux rivés en haut des falaises, sûr que j'la prendrais ici.

— Et pourquoi ? s'étonna Socrate.

— Pasqu'ici le sol se barre sous leurs pieds, ni plus ni moins, répondit-il en souriant dans le clair-obscur du crépuscule.

— Mais..., commença Socrate en pensant à nouveau qu'il aurait dû être sur le chemin du retour. Mais c'est pas logique, ça !

— L'sol où qu'on est toi et moi, et même Delia là-bas, i's'en va tout seul. La terre, l'a grand hâte d'être ta tombe, mec. Mais tout l'monde fait comme si elle était bien solide sous toi, alors que... (Il fit claquer bruyamment ses doigts.) Alors que paf, comme ça, tu pars ! Tout juste comme une de ces piaules là-haut !

— D'accord, mais autant laisser les choses se faire, pas besoin d'aller plus vite que la musique, remarqua Socrate.

— Ouais, mais au moins, quand t'es là-haut, tu sais

qu'ça va arriver, un jour ou l'autre. Au moins, là-haut, tu sais qu'i' faut vivre quand on a encore la vie.

Gordo saisit trois parpaings du mur effondré et les disposa en une manière de cercle rituel. Au milieu, Delia entassa autant de bois qu'elle put en ramasser.

Gordo sortit de son sac une vieille casserole dans laquelle étaient rangées trois boîtes de chili Hormel. Il fit aussi apparaître un grand sachet de tortillas chips et un pack de huit Coca-Cola.

— C'est mon anniversaire, annonça-t-il. Mon fête.

— Et tu viens toujours là, pour ton anniversaire ?

Gordo le contempla longuement, ses traits de gamin vieillissant plissés par la concentration.

— Non, finit-il par répondre. Non, là, j'suis jamais venu. Mais toujours je choisis un endroit à part. Et ici, c'est l'endroit le plus à part qu'y a.

— Ah oui, et pourquoi ?

Plongeant la main dans son sac, Gordo en retira une longue bougie effilée, une sorte de cierge d'un rouge violent. Avec un sourire, il la tint devint son visage.

— Ma bougie d'anniversaire, c'est.

Delia était occupée pendant ce temps à ouvrir les boîtes de conserve avec un minuscule ustensile. Elle en versa le contenu sombre, dense, compact, dans la casserole.

D'un trait, Gordo but ce qui restait du vin. Il enfonça la bougie dans le goulot de la bouteille vide.

— Quelqu'un naît, quelqu'un meurt, prononça-t-il presque comme une prière. On fête une naissance, on fête les morts.

Et il alluma le cierge avec la solennité d'un prêtre officiant, à genoux devant la flamme, puis il resta là, les bras ballants.

Après avoir posé la casserole sur les parpaings, Delia alluma le feu avec un briquet. Au moment où il se mit à crépiter et à danser, le soleil disparut derrière le fossé de drainage en béton.

C'était comme si elle venait de conjurer la nuit d'un seul geste. Éclairée par le brasier, elle paraissait auréolée de ténèbres alors qu'ailleurs le ravin était encore baigné par la lumière du couchant.

Socrate avait froid, soudain. Il s'assit pour remettre ses chaussettes et ses souliers.

— T'es d'où, ma 'tite fille ? demanda-t-il à Delia, uniquement pour rompre le silence oppressant que la méditation de Gordo faisait peser sur eux.

— Ohio.

— Et tes parents, qu'est-ce qu'i' fout' ?

Elle sourit, haussa les épaules, remonta très haut sa jupe pour s'accroupir devant le foyer.

— J'ai tué vingt-six gars, déclara Gordo à brûle-pourpoint.

Rien d'autre, sans doute, n'aurait pu amener Socrate à détacher son regard des jambes de cette fille.

— Combien tu dis ?

— Vingt-six. Le dernier, c'était y a vingt-six ans. L'salaud d'bridé, i' pesait pas trois figues et i' cherche à m'buter, moi. Moi qu'étais dans l'équipe de foot universitaire de L.A. L'a failli m'avoir, mais seulement failli, hein. Bien failli.

Ses yeux avaient enfin quitté la flamme du cierge.

— Vietnam ?

— Et là c'est la dernière bougie, poursuivit Gordo. La dernière.

Il ramassa une brindille, la passa au-dessus de son cierge couleur de sang. Le bout de bois sec se recroquevilla dans l'air du soir, tel un papillon de feu.

— Alors moi j'vais quèqu' part avec une meuf et avec du vin et j'honore un d'ceux qu' j'ai butés. Toujours, je fais ça. Je leur allume une bougie, une à chaque gars, et j'mange, et j'bois à eux.

— Qu'est-ce que tu veux de moi ? interrogea Socrate.

— Hé, mec, on t'a vu, c'est tout. C'est comme quand tu ramasses c'que tu trouves sur la plage, hein ? C'est ça, la vie au bord d'la mer.

— Ah ah, fit Socrate.

— T'en veux ? lui demanda Delia en empilant des tortillas sur une assiette en fer et en se servant d'une boîte de conserve vide pour verser du chili brûlant dessus.

Socrate prit l'assiette qu'elle lui tendait, avec une petite fourchette en plastique blanc.

— Merci.

Elle en prépara une autre pour Gordo, qui la saisit à deux mains, cérémonieusement.

— Tu manges pas ? demanda Socrate à la fille.

— Pas de viande, non, répondit-elle en sortant une orange de son gilet.

Elle mordit dans l'écorce, en cracha un bout et se mit à presser et à sucer le trou qu'elle venait de faire.

Socrate s'efforçait de contrôler sa respiration tandis qu'il regardait ses mâchoires, ses lèvres, sa langue s'activer sur le fruit.

— T'as une caisse ? lança soudain Gordo.

Socrate sentit des picotements passer sur son crâne chauve.

— T'es sûr que t'as tué personne depuis vingt-six ans ?

Un sourire éclatant perça son visage noyé d'ombres. Il gloussa sans bruit.

Socrate tâta le sol meuble autour de lui. S'il se levait d'un bond, ses pieds s'enfonceraient dans le sable. Un tableau lui revint en mémoire, une reproduction qu'il avait vue dans un livre à la bibliothèque de la prison. *Histoire de l'art européen*, s'appelait l'ouvrage. Mais il avait oublié le nom du peintre.

Un tableau sombre, oppressant. Deux hommes,

enfoncés dans la terre jusqu'aux genoux, se battaient à coups de gourdin. Ils étaient à bout de forces, couverts de sang, et cependant ils continuaient à s'affronter ; prisonniers du sol sous eux, ils continueraient à jamais. Ils étaient grands et forts, eux aussi. Plus grands que les montagnes qui s'élevaient derrière eux.

— Oh non, mon frère, répondit Gordo. 1969, le 3 novembre. Pas loin d'notre campement. I'm'a bondi dessus avec une baïonnette, par-derrière, mais j'l'ai entendu, moi...

Les yeux de Gordo brillaient dans l'éclat du feu.

La nuit était tombée.

— Tu viens d'où, toi, mon frère ? reprit Gordo.

— D'la taule, principalement.

— T'avais plongé pourquoi ?

— Meurtre.

— T'as tué un type ? intervint Delia.

Socrate ne lui répondit pas.

— Combien t'as tiré ?

— Vingt-sept ans.

— Pour avoir tué un seul mec ? s'étonna Gordo.

— Y avait un homme et une femme. Et elle j'l'ai violée aussi, dit Socrate en s'étonnant de l'effet que l'océan avait produit sur lui. Et aussi trois autres taulards que j'ai tués, mais ça personne l'a su, ou en tout cas personne a pu l'prouver. Et aussi tous ceux que j'ai frappés et tourmentés et volés et menacés. Quand j'étais en taule, y a pas eu un jour sans que j'fasse du mal ou qu'on m'en fasse. Dès que t'es là-bas, tu fais partie d'là-bas.

— T'as tué quelqu'un à mains nues, déjà ?

Gordo était tout tendu, sa tête levée comme celle d'un rapace.

— Toujours à mains nues. Tous. Jamais d'arme. J'en avais, oh oui, mais j'm'en servais pas. Jamais.

147

6

Gordo paraissait moins sur ses gardes. Delia, qui avait posé sa tête sur les genoux de son homme, regardait Socrate droit dans les yeux.

— J'suis passé direct du lycée à l'héro avec le Vietnam, confia-t-il. Tout était plus fort, là-bas. La came, la pluie, le soleil, l'ennemi. L'ennemi, tu l'écrasais jusque sous terre mais hop, i' ressortait aussi sec. I' t'sautait à la figure, carrément. Après un bout d'temps, tout c'qu'on connaissait, c'était la fatigue. Une fatigue, là...

L'épuisement de la guerre s'abattit d'un coup sur Gordo. Ses épaules s'affaissèrent, l'assiette qu'il avait posée sur sa cuisse menaçait de tomber. Il n'avait plus la force de parler, ni même de se servir de sa fourchette. Il semblait si fourbu que Socrate se demanda combien de temps il aurait encore assez d'énergie pour respirer.

Alors Delia se mit à parler d'orphelinats et de galeries commerciales, et qu'elle n'était rien du tout et qu'elle en était très contente, parce qu'elle ne voulait être personne.

— Tu veux aller un peu par là et tirer un coup, toi ? chuchota-t-elle alors que Gordo commençait à dodeliner de la tête.

La première réaction de Socrate fut de jeter un coup d'œil à Gordo. Il était prêt à se battre, mais l'autre n'avait même pas entendu, visiblement.

— T'as dit quoi ? demanda-t-il à la fille.

— T'as bien compris. Ça va, y a pas d'lézard. J'te plais, et puis c'est un jour à part, aujourd'hui. On peut y aller tout de suite.

Elle lui tendit une main, que Socrate prit dans la sienne. Elle voulut l'attirer à elle mais elle n'avait pas la force. Elle se pencha et posa ses lèvres sur la patte de l'inconnu, la mordit légèrement. Socrate observa à nouveau Gordo. Il avait maintenant les yeux levés vers les étoiles. Sans doute devait-il penser qu'elles brillaient plus fort, au Vietnam.

Delia embrassa Socrate sur la bouche, glissa sa langue entre les dents de l'homme. Elle le tira par la main et cette fois il se leva. Ils allèrent là où le halo de lumière s'arrêtait, s'étreignirent. Delia se laissa aller comme si elle voulait tomber sur le sable, à cet endroit même. Mais Socrate resta campé sur ses jambes. Il regardait Gordo regarder les étoiles.

Delia l'embrassa à nouveau et la magie de la passion fut là. Mais cette passion était dans la brise, dans le clair de lune, cette passion était en équilibre précaire sur les flancs du canyon. Ce n'était pas de sexe que Socrate avait besoin. Ce dont il avait besoin, il l'avait déjà.

Delia le comprit, elle aussi. Elle relâcha son étreinte mais resta appuyée contre lui.

— Faut qu'j'y aille, dit Socrate.

— ' oh... (Elle paraissait sincèrement déçue.) Non, reste ! On f'ra rien, d'accord. Allez !

Socrate fit un signe d'adieu à Gordo.

— À plus.

L'ancien du Vietnam leva une main à son tour.

— À plus.

Delia se hissa sur la pointe des pieds pour embrasser une dernière fois les lèvres de Socrate. C'était un baiser de petite fille. Un baiser tendre, mouillé, qui avait le goût des embruns et de l'écorce d'orange.

7

D'un pas mal assuré, Socrate refit le même chemin en sens inverse, jusqu'au bord de mer, jusqu'au rivage où le sable était compact et ferme sous ses semelles.

Les vagues le suivaient, se rompaient en une écume presque phosphorescente sous les rayons impassibles de la lune. « C'est le rire de l'océan », se dit-il.

Et il y avait de quoi rire, en effet. Il imagina Delia se tortillant sur le sol avec Gordo, ses cheveux de chanvre donnant la réplique aux petites flammes du feu de camp. Il crut voir Charles Rinnett, vieilli avant l'âge, poussant le chariot qu'il avait volé dans un supermarché le long des boulevards Hooper, puis Central, puis Florence...

Il marcha longtemps et soudain il s'arrêta net. Il avait l'impression que ses jambes venaient de rencontrer un fil tendu, qu'il ne pourrait continuer sans s'écrouler. Péniblement, il remonta la plage jusqu'à l'endroit où les taillis et les falaises rejoignaient le sable. Là, il trouva deux grands cartons abandonnés, les installa derrière un buisson épineux. Quand il se glissa à l'intérieur de son abri, il s'efforça d'écarter de son esprit l'idée d'un cercueil.

Toute la nuit, le vent marin joua sur les parois de carton, le ruissellement des grains de sable succédant aux soupirs graves des appels d'air. Les boîtes auraient été emportées si Socrate n'avait pas été allongé dedans. Les rafales les pressaient contre son corps et il s'abandonna à ce contact en rêvant qu'il reposait dans le giron de sa tante Bellandra.

Au matin, il découvrit des traces de pattes à moitié effacées autour des cartons. En pensant que quelque chien avait monté la garde devant sa maison de fortune, il se sentit tout joyeux.

Le soleil tapait si fort que la mer paraissait domptée. Lorsqu'il s'étira en bâillant énergiquement, des centaines de mouettes prirent leur vol en piaillant. Il comprit qu'elles avaient passé la nuit autour d'une série de grandes flaques, tout près de ses broussailles.

Il se demanda où étaient Delia et Gordo, mais il ne retourna pas au ravin. Non, il partit sans hâte vers la ville, les bus, chez lui.

À un moment, la voix de Charles Rinnett lui parvint.

— Et d'après toi, toutes ces conneries, ça signifie quoi ? persifla le fantôme.

— J'discute plus, murmura Socrate.

Et il imagina Charles Rinnett se dissipant dans la brise.

Leçons

1

— Et elle a dit quoi ? demanda distraitement Darryl.

Avec son vieil ami Socrate Fortlow, il était assis sur un banc en bois de Carver Park, à Watts.

— « Dit » ? Elle a rien dit, oh non.

Socrate était en train de penser à sa mère, et à la surprise qu'il avait éprouvée, même dans son rêve, en constatant qu'elle avait vieilli. Ses cheveux, ou le peu qu'il pouvait en apercevoir sous son beau chapeau du dimanche, avaient blanchi. Et il y avait une dureté, une lourdeur inconnue sur ses traits.

— C'est pour ça que j'ai cru qu'elle était vivante, remarqua-t-il à voix haute.

— Hein, quoi ? fit Darryl en jetant un regard inquiet aux arbres faméliques qui les entouraient.

— J'veux dire, quand elle est morte, quand j'étais en taule, elle avait seulement cinquante-deux ans. Mais dans le rêve elle était beaucoup plus vieille que ça, beaucoup plus. Comme si elle était pas morte et qu'elle avait continué à vieillir, à vieillir...

— Ah ouais..., soupira le garçon.

Depuis le moment où il avait quitté le toit familial pour venir s'installer chez Socrate, quelques mois à peine, il avait pris dix bons centimètres mais pas un gramme. Son corps osseux s'étirait interminablement. Il était désormais presque aussi grand que son solide protecteur.

— Tu m'écoutes ou pas, dis donc ? (Socrate se tourna dans la direction que semblait surveiller le gamin.) Tu l'as vu ?

— Pas encore, répondit Darryl. Mais c'est toujours de là bas qu'i's'pointe.

— Eh ben, t'arrêtes de r'garder par là-bas, justement. Si t'voit mater comme ça, i'va comprendre que t'as peur. Hé, regarde-moi, compris ?

Darryl se força à reporter ses yeux sur Socrate. Il tremblait de frayeur.

— Alors, quoi qu't'en dis ? reprit son aîné.

— Dis de quoi ?

— D'mon rêve, présentement.

— De ta maman ?

— Voilà.

— Elle... Elle était gentille avec toi ?

La voix de l'adolescent était brisée par la mue et par l'appréhension.

— Oh oui... Ma mère à moi, c'est la seule qui m'a soutenu. La seule.

— Pasque... Pasque moi, ça m'arrive d'rêver d'Yvette Frank, des fois.

— Tiens !

— Oh oui ! (Darryl hocha la tête comme un tout jeune enfant.) Même qu'elle est toute nue et qu'elle me dit qu'elle m'aime.

— Et là tu t'réveilles avec ton zoizeau tout raide ?

Darryl se pencha brusquement en avant pour cueillir un brin d'herbe sous le banc. Il le tritura entre le pouce et l'index, jusqu'à ce que la pulpe claire de ses doigts prenne une teinte verdâtre.

— Ça va, ça va, le calma Socrate. C'est comme ça

qu'on rêve, quand on est gamin. On rêve de devenir un homme.

Son regard erra sur la pelouse du parc, tachetée de détritus. À une table de pique-nique, non loin d'eux, quatre amis venaient de se lancer avec entrain dans une partie de dominos.

— Vingt et cinq ! cria Trevor Brown en faisant claquer sa fiche sur la table.

Socrate le connaissait du marché aux puces de South Central, installé dans un ancien centre commercial qui avait fait faillite en 1988, l'Avalon Shopping Centre. Les magasins avaient été divisés en stands que l'on pouvait louer à la journée, à la semaine ou au mois. On trouvait de tout dans ce bric-à-brac, disques vinyle comme outils de bricolage.

Trevor Brown, lui, vendait des tee-shirts que sa fille décorait à la main, d'images de guerriers africains ou de femmes sculpturales.

Socrate y avait parfois loué un stand afin de proposer des objets mis au rebut qu'il avait récupérés et réparés pendant ses moments libres. À l'époque, il n'avait pas encore été embauché chez Bounty.

En se redressant pour lancer un cri de victoire, Trevor remarqua la présence de Socrate, qui lui fit un signe de la main. Il y répondit joyeusement.

Un groupe de trois adolescents arrivait derrière les joueurs. Douze à quatorze ans, des petits voyous avec leurs tennis sans lacets et leur jean bas sur les hanches, carrure renforcée par les manteaux d'adultes qu'ils portaient. Ils avançaient comme une horde de jeunes ours mal léchés.

Les hommes interrompirent un instant leur jeu, jaugeant les gamins et la menace qu'ils pouvaient constituer.

Levant les yeux de son brin d'herbe en bouillie, Darryl se raidit. Il posa sa main sur la cuisse de Socrate.

— C'est lui ? fit ce dernier du ton le plus tranquille du monde.

— Ou... oui.

— Alors tu vas régler ça.

— Je... J'peux pas !

— I'faut, Darryl. T'as pas l'choix, 'ti.

Le garçon lui lança un regard suppliant, auquel l'ancien taulard resta insensible. Il se leva et partit en décrivant un grand arc de cercle pour ne pas attirer l'attention du groupe arrivant sur lui. Il s'approcha des joueurs de dominos.

— Hé, Trevor ! lança-t-il de loin.

Au même moment, le meneur de la bande, Philip, se mit à hurler :

— Oh, trouduc, j't'avais dit qu'on t'voulait pas par ici !

2

— Votre garçon là-bas on lui cherche noise, messié Fortlow, constata Trevor quand Socrate fut arrivé à leur table.

Jusqu'à ce moment, il ne s'était pas retourné. Il ne voulait pas voir Darryl détaler comme un lapin. Mais Darryl ne s'était pas enfui. Il faisait face à Philip, qui était plus petit mais plus musclé que lui. Les deux autres adolescents se tenaient un peu en retrait. Darryl avait levé ses deux mains devant lui, comme pour raisonner son agresseur.

« Bien, très bien, pensa Socrate. Avec des bras aussi longs que les siens, c'est lui qu'a l'avantage. »

— Socco, vous m'entendez ? insista Trevor Brown.

— Hein, quoi ? fit Socrate sans quitter les deux jeunes des yeux.

Autour de lui, les hommes parlaient, lui posaient

des questions. Il se contentait de regarder. Rien d'autre n'existait plus que ces deux garçons.

Soudain, Philip décocha un swing brutal à Darryl qui se jeta en arrière, chancela un peu et répliqua par un direct du droit de la meilleure école. Son poing atteignit le menton de son adversaire de plein fouet.

Le petit dur qui l'avait provoqué ne broncha pas.

Darryl avait de l'entraînement, et plus de courage que pas mal de gosses de son âge, mais il n'était pas assez épais pour faire le poids.

Socrate retint son souffle. Quelqu'un posa une main sur son épaule. Quand on le touchait, Socrate ne réfléchissait pas, il frappait. Derrière lui, il entendit l'homme pousser un hurlement étouffé, puis le bruit des dominos qui volaient en tous sens.

Darryl avait sorti un couteau à steak de sa poche, mais Philip le fit aussitôt sauter de son poing osseux.

Quelqu'un s'exclama : « Hé, mais qu'est-ce qu'i lui... » Socrate n'entendit pas la fin, car il s'était déjà mis en route. Les phalanges de Philip venaient d'entrer bruyamment en contact avec la mâchoire de Darryl. Le grand échalas contra bien son assaillant ainsi que Socrate le lui avait appris, mais il allait avoir le dessous d'ici peu, c'était clair. Et il risquait gros, très gros.

Socrate se débarrassa de ses chaussures pour mieux se mouvoir sur l'herbe. Il approchait la soixantaine mais il ne se sentait pas vieux, au contraire : le sang qui coulait en lui était chaud, bouillant. En quelques foulées rapides et silencieuses, il se retrouva derrière les deux copains de Philip.

Frappé au ventre, Darryl se plia en deux.

Socrate terrassa le premier des deux d'un seul coup derrière la tête.

Darryl se débattait sur le sol en hurlant. Il échappa de peu au pied qui allait l'atteindre en pleine figure.

— Oh, di...

L'autre n'eut pas le temps de terminer : la gifle que lui décocha Socrate l'expédia à terre.

Philip, cependant, n'avait pas vu ce qui était arrivé à ses complices. Il se laissa tomber de tout son poids sur Darryl, concluant le choc par un rire triomphal et un mouvement de hanches lascif.

Son protégé gémissant de douleur à quelques mètres, Socrate inspecta rapidement les poches des deux voyous groggys. Il s'empara d'un Glock, d'un calibre 22 rouillé et d'un couteau à cran d'arrêt.

— Tourne-toi ! commanda Philip.

Les bras repliés autour de la tête, Darryl était allongé sur le ventre.

— Tourne-toi, pédé ! répéta l'autre d'une voix excitée.

De la main gauche, il essayait de retourner sa victime sur le dos. Dans la droite, il tenait un automatique calibre 45.

— Au s'cours ! hurla Darryl. Non, non, non, non...

Socrate envoya le revolver voler dans les airs. Lorsque Philip pivota pour voir qui l'avait frappé, il reçut une gifle qui le fit rouler deux fois sur le côté et le laissa inconscient, prostré.

— Bravo ! s'exclama un des joueurs de dominos tandis que ses compagnons applaudissaient.

Les deux acolytes de Philip essayaient de se relever mais ils étaient encore trop sonnés.

Socrate secoua le petit caïd par le bras. Il s'était évanoui. Il lui pinça la joue, très fort. La douleur le fit revenir à lui.

— Tu m'vois, 'ti ? Tu m'entends ?

Il eut un faible mouvement de la tête qui était un acquiescement, peut-être.

— Qui... Qui t'es ? bredouilla le gamin.

Socrate le laissa se remettre péniblement debout, sur des jambes flageolantes. Il s'apprêtait à lui assener encore un coup, un deuxième, juste pour l'amener à réfléchir deux fois avant de provoquer à nouveau Darryl. Socrate grimaça un sourire en pensant : « Un troisième et t'es mort, raide mort ! »

Mais il n'avait pas levé sa main que Trevor Brown vociféra de sa place :

— Gaffe ! Fais gaffe, Socco !

Le colosse se tourna, prêt à faire face à la mort. La sienne, ou celle de quelqu'un d'autre. Ce qu'il découvrit, pourtant, lui donna presque envie de rire.

À pas raides, mal assurés, Darryl s'approchait d'eux, tenant à bout de bras, des deux mains, le revolver de Philip. Il tremblait tellement que le canon oscillait en tous sens.

Arrivé près de Socrate, Darryl s'efforça de braquer son arme sur la poitrine de son agresseur. Les petits yeux chafouins de Philip étaient hypnotisés par le revolver.

Darryl lança un regard à Socrate, puis à son ennemi, puis de nouveau à son ami. Sa bouche était déformée par un hurlement silencieux.

— Me regarde pas, laissa tomber Socrate.

La prise de Darryl se raffermit sur l'arme. Alors, Philip fit un bond de côté, se baissa pour éviter le bras que Socrate tendait afin de lui barrer la route et se rua vers les joueurs de dominos en couinant de peur. Darryl pivota, prêt à faire feu.

— Hé, merde ! cria l'un des hommes du groupe.

Tous les quatre, ils se jetèrent au sol. Mais c'était inutile. Quand Socrate effleura le biceps de Darryl, le garçon lâcha le revolver. L'arme tomba dans l'herbe, muette.

3

— J'avais les foies, ouais, déclara Darryl d'un ton boudeur, les yeux fixés sur le lino décati de chez Socrate.

— Un sacré bon taquet qu'tu lui as donné, à ce bougre, constata Socrate pour toute réponse. En plein menton, oh oui !

Darryl se redressa un peu.

Ils étaient rentrés à la maison avec les trois revolvers et le couteau entassés dans un sac en papier kraft.

— T'as défendu ta peau tout seul, Darryl, poursuivit Socrate. Un Noir, c'est tout c'qu'i'peut faire. C'est la loi du plus faible.

— Mais i'vont pas m'lâcher, protesta Darryl. I'vont vouloir m'choper.

— Oh oui, approuva Socrate. Mais maintenant, t'as fait quèqu'chose, dis donc ! Tu t'es défendu, t'as fait du mieux qu'tu pouvais, alors t'as plus rien à t'reprocher, plus jamais, 'ti, pour toute ta vie.

— Et en quoi ça va m'aider ?

— T'as tenu ta partie, Darryl. La suite, c'est moi que j'm'en charge.

Ils dînèrent d'un jarret de porc avec du riz et des pousses de moutarde.

— Quèqu'chose qui va pas, 'ti ?

— J'sais pas, non, rien, j'crois... Enfin, quoi, si j'étais comme toi j'aurais plus d'soucis à m'faire.

— Ah oui ? Si t'étais comme moi, t'aurais encore dix ans à tirer dans une ferme, à seulement espérer que ton vieux se saoule assez grave pour tomber dans les pommes avant d'avoir le temps d'prendre une grosse grosse corde et d'te fouetter les fesses.

— I'... I't'faisait ça ? Comme ça, pour rien ?

— Quand l'a fini par mourir, le vieux, ma mère elle a pleuré mais c'était pas pour lui, c'était pasqu'on avait perdu la ferme. Moi, oh moi j'étais tout content, jusqu'au moment où j'ai compris que sans lui j'pouvais plus manger tous les soirs... Alors, non, Darryl, tu voudrais pas être comme moi, vraiment non. Tu voudrais pas traîner dans les rues pire qu'un chien enragé, à traiter les femmes comme des chiennes. Et la bagarre, et les larcins, et les bêtises jusqu'à c'qu'i'finissent par te jeter au trou. Oh non, grand, c'que tu veux c'est échapper à toute cette merde-là. Tu veux, tu dois.

— Mais comment ? J'en sais rien, comment...

Après manger, Socrate déclara :

— Cette nuit, tu prends mon lit. Moi j'dormirai là. C'est qu't'as travaillé dur, aujourd'hui. I't'faut un bon somme, 'ti.

Alors qu'il glissait dans le sommeil, Socrate comprit que Darryl ne pourrait pas rester avec lui plus longtemps. Un jour, bientôt, ce gang finirait par le retrouver. Ils le tueraient, ou en feraient un des leurs.

Ou peut-être pas... Cela ne se passait pas toujours ainsi. Mais il ne voulait pas prendre le risque, lui. « Tu lui as sauvé la vie, à ce garçon-là », lui avait dit Trevor Brown au parc.

« Oh non, pas encore, pensa Socrate. Pas encore. »

Sa mère surgit dans un rêve. Elle avait vieilli mais se tenait encore droite, de toute sa haute taille. Ils se trouvaient dans le petit séjour de la maison de Cartersville, dont la large fenêtre donnait sur un champ de maïs fraîchement coupé.

Socrate était assis devant la table ronde ornée d'un napperon en lin brodé. Il contemplait ses grandes mains tandis qu'elle se tenait devant la fenêtre comblée par le bleu du ciel et le vert du champ. Le soleil était si fort dehors que sa mère semblait plongée dans l'ombre.

Il n'arrivait même pas à distinguer ses yeux.

160

— Quoi ? demandait-il d'un ton coupant, agressif presque.

Il se rendit compte qu'il se trouvait au milieu d'une conversation qui se poursuivait depuis des années et des années.

— Quoi ?

Il n'obtint pas de réponse.

Il allait se lever. Se dresser devant elle, lui faire comprendre à quel point il se sentait mal. Mais il ne parvenait pas à quitter son siège. Même ses mains n'arrivaient pas à quitter la table.

Il était si faible, soudain, qu'il se mettait à pleurer. Et comme les larmes le tiraient du sommeil, il se demanda combien de fois déjà il était resté assis devant cette fenêtre bleue, et devant sa mère, à pleurer ?

Alors, elle fit un pas.

Il était certain que cela ne s'était encore jamais produit, jamais.

Un autre pas, et il se souvint de toutes les occasions où il aurait voulu lui dire qu'il s'excusait de l'avoir privée ainsi de son bonheur.

Un autre pas, et il put voir enfin les yeux de sa mère. Implorants. En pleurs, mais secs. Aucun mot ne venait sur ses lèvres moites.

— Quoi ? répéta Socrate.

Il éleva ses mains en l'air, ce qui dut provoquer un changement quelconque car elle avait disparu. Il n'y avait plus que la chaise sur laquelle il était assis, et l'immense fenêtre bleu et vert. Socrate, lui, rapetissait à chaque minute. Bientôt, il ne fut plus qu'une fourmi aventurée sur le rebord de la fenêtre, effrayée de contempler un monde dont l'immensité dépassait son imagination.

— Non !

— Maman ?

— Oh non. Arrête !

Socrate ouvrit les yeux.

— Non, prononça Darryl, endormi dans l'autre pièce.

Socrate était assis près du canapé déplié. Il ne toucha pas Darryl, n'essaya pas de le réveiller. Enfant, on lui avait appris que les rêves appartenaient à la vie privée de chacun, comme la sexualité ou le fait d'aller aux toilettes, et ne devaient jamais être interrompus par autrui.

Il resta ainsi une heure, au moins, avant que les paupières du garçon, qui n'avait cessé de s'agiter et de geindre dans son sommeil, ne s'ouvrent brusquement.

— Salut, dit-il à la massive silhouette à côté de lui.

— Salut.

— Non, mais c'est trop..., soupira Darryl.

— Quoi qu'est trop ?

— J'ai rêvé qu'au lieu que t'arrives à temps, Philip me flinguait. Et puis... Et puis... Et puis y avait Yvette Frank, mais j'avais trop peur de bander, vu qu'j'étais mort.

Socrate eut un rire entendu. Au bout d'un moment, il déclara :

— T'en fais donc pas, 'ti. J'serai toujours là à temps.

Darryl cligna des yeux, une fois, puis il se tourna sur le côté. L'instant suivant, il dormait et Socrate se demanda même s'il s'était vraiment réveillé.

4

— Mais i' peut pas rester ici, déclara Socrate à Luvia Prine.

Right Burke, le pensionnaire invalide de Luvia et le

162

meilleur ami de Socrate, était assis entre eux. Darryl était dans la cuisine, en train de préparer des cookies avec la nièce de Luvia, Willomena.

— Pourquoi ça ?

Luvia n'aimait pas Socrate mais elle appréciait ses amis. Elle s'inquiétait pour Darryl et ne réprimandait jamais Right quand il venait prendre des nouvelles du garçon et de son mentor.

— Ces gangs, vous savez bien comment i' sont, quand même. I' finiront par le flinguer sur l'trottoir ou par l'obliger à les rejoindre. Vous savez comment ça s'passe.

— Alors qu'il retourne chez sa maman, là, trancha Luvia en se levant pour signifier que la question était définitivement close.

— Mais l'a pas d'papa chez lui, et sa maison est juste dans le quartier où y a tout ce merdier-là, objecta le frêle vétéran de la Seconde Guerre mondiale, qui savait que le seul moyen d'amener Luvia à se rasseoir était d'intervenir lui aussi. La maman de Darryl elle l'a laissé venir chez Socco juste pasqu'elle a compris qu'i'lui fallait un homme à poigne. Mais Socco, i' peut pas l'avoir à l'œil jour et nuit...

— Et moi j'y peux quoi, messié Burke ? fit la grande femme maigre. Ma maison c'est pour les retraités comme vous, ou m'dame Halloway, ou ainsi de suite. On peut avoir des garçons qui font les fous dans les couloirs, chez nous autres !

— Y aurait... Y aurait les MacDaniels, risqua Right à voix basse.

Socrate était si tendu qu'il cligna des paupières. Luvia, elle, se figea sur place. La main qu'elle allait porter à son visage, peut-être pour frotter une piqûre de moustique sur sa joue, resta suspendue en l'air.

— Vous savez qu'vous devriez avoir honte de seulement avoir pensé ça, Right Burke, dit-elle enfin. Vous savez que c'est grand péché, c'que vous dites là.

163

— C'est pas facile, oui, convint son pensionnaire, mais c'est quand même pas un péché ! Hallie et Costas, i'z'ont perdu un fils à cause d' ces gangs. Bernard. Et là, c'est une occasion pour eux d'faire quèqu'chose à propos de ça, j'crois bien.

— C'est exactement ça, appuya Socrate, convaincu qu'il venait de prononcer là les paroles les plus justes de son existence.

— J'pourrais avoir à écouter messié Burke, Socrate Fortlow, déclara Luvia, mais ça veut pas dire que j'dois vous écouter vous.

— J'sais, Luvia, admit Socrate avec un sourire. Vous aimez pas comme je sens et pourtant j'ai même pas retiré mes souliers, là... (Right gloussa.) Et vous avez pas tort, remarquez, vous avez pas tort. Mais ça, c'est en c'qui nous concerne nous autres. De quoi on cause, c'est d'un 'ti bougre qui va y laisser la peau...

Luvia leva ses deux mains devant elle, signifiant qu'elle ne voulait pas en entendre plus.

— Vous avez raison ou vous avez pas raison, j'en sais rien mais c'est pas c'qui me tourmente. J'peux pas demander à Hallie et Costas d'prendre avec eux un rien du tout, voilà. Bernard, i' viennent d'le mettre en terre, i' sont encore en deuil. Et i' vont pas s'occuper d'un n'importe qui quand i' viennent juste de payer toutes ces notes d'hôpital, et l'enterrement, et ceci, et cela...

Bernard avait été abattu dans une maison de View Park. Tout avait commencé quand, en virée avec des copains, ils étaient tombés sur un autre groupe d'adolescents. Des menaces avaient été échangées et les armes avaient parlé plus tard, le soir, alors qu'il était à une fête. Il n'était pas mort sur le coup. Une semaine durant, les médecins avaient cru qu'il s'en tirerait. Mais il avait perdu le goût de vivre, brusquement. Au huitième jour, un accès de fièvre fulgurant l'avait dévoré comme un feu de brousse.

— J'me fais cent cinquante-neuf trente-cinq à la semaine, annonça Socrate. En plus, j'ramène dans les soixante-quinze en pourboires pour les livraisons. Eh ben, ces pourboires, j'peux les donner à Darryl. En plus, i' s'est trouvé un job chez Bounty lui aussi, alors entre lui et moi on peut tout payer, ça oui.

Luvia se tassa sur sa chaise. La massive présence de Socrate finissait par l'épuiser. Elle le détestait plus encore, cela se voyait dans ses yeux.

— Mettre Darryl chez eux, ça changerait quoi ? demanda-t-elle à Right.

— L'ira à une autre école, mam'zelle Prine. Et puis i'vivent bien plus loin, du côté de Venice et Hauser. L'aura sa chance là-bas, Darryl. Un garçon qui s'efforce, i' mérite une chance, j'crois.

— Mais comment j'pourrais demander une chose pareille à Hallis ?

Sa question s'adressait aux deux hommes, cette fois.

— Suffit de d'mander. C'est tout. P'têt' qu'i' leur faut leur chance à eux aussi, répondit Right.

Socrate, qui se mordait la langue depuis un moment, sentit soudain le goût du sang envahir sa bouche. Il déglutit, une fois, deux fois, avant d'approuver de la tête. Hallis et Costas MacDaniels étaient des chrétiens pratiquants, des paroissiens modèles. Ils croyaient en Dieu et en ses légitimes représentants, catégorie dans laquelle ils ne feraient certainement pas entrer un Right Burke dont l'haleine dégageait toujours un relent de whisky, et encore moins un assassin patenté tel que Socrate Fortlow...

— D'accord, lâcha Luvia en se levant à nouveau. J'peux toujours leur demander.

Braillant un hourra, Right bondit sur ses pieds et se jeta sur Luvia pour la serrer dans ses bras. Comme il était beaucoup moins grand qu'elle, sa tête atterrit droit contre ses seins. Dans cette position incongrue, et tout en essayant de le repousser, elle jeta un coup d'œil à Socrate.

Il avait un grand sourire pincé. Mais il ne riait pas, non. Il avait trop peur de la faire changer d'avis en lui révélant ses dents sanguinolentes.

— Qu'est-ce qui vous amuse tant, Socrate Fortlow ?

Non, rien, fit-il de la tête en souriant toujours. Et en continuant à ravaler son sang.

5

— Mais si j'veux pas y aller ? interrogea Darryl une semaine plus tard.

Avant même de l'avoir rencontré, les MacDaniels avaient accepté de le prendre chez eux. Luvia avait pourtant tout fait pour les en dissuader, mais ils ne pensaient plus qu'à aider ce garçon.

— Luvia nous a dit que vous avez eu... que vous avez eu des problèmes avec la police, dans le temps, glissa Costas MacDaniels alors qu'ils faisaient connaissance dans la masure de Socrate.

— J'ai fait de la prison, messié, répondit ce dernier avec ses meilleures manières.

— Oh ! fit l'épouse MacDaniels.

Elle avait la couleur et la forme d'une questche. Ils étaient minuscules, tous les deux, mais alors que la voix de son mari résonnait comme un tuba, la sienne était aussi cristalline et ténue qu'un triangle dans un orchestre symphonique.

— Quel bon chrétien ! se reprit-elle. Vous devez être près, tout près de Dieu, pour vous donner tant de mal à aider ce pauvre enfant.

Socrate se répandit en sourires et hochements de tête convaincus. Le couple déclara qu'il pourrait venir voir Darryl autant qu'il lui plairait. Par contre, ils préféraient que le garçon se tienne loin de Watts.

Socrate sourit et opina du bonnet. Il n'appréciait ni Hallie ni Costas MacDaniels. Il les trouvait fuyants, pusillanimes. Mais il les aimait quand même, parce qu'ils avaient le pouvoir d'accomplir ce dont il n'était pas capable, lui.

— Tu m'fais partir à cause de c'qui s'est passé au parc, déclara Darryl. À cause que t'es fâché.

— Quoi, au parc ? T'as été super, au parc. J'l'ai déjà dit, t'as fait d'ton mieux.

— Non, pas pour ça. Pasque j'allais flinguer Philip. C'est ça, hein ? T'es fâché pasque tu penses que les Blacks i' doivent pas s'tuer entre eux, et moi j'ai failli l'faire...

— Oh non, répliqua nonchalamment Socrate. Ce bougre, i' t'a insulté, i' t'a attaqué, i' voulait t' tuer. J'crois pas que même un tribunal de Blancs i' t'aurait trouvé coupable pour ça.

— Mais alors pourquoi tu m'as fait lâcher l'flingue, dis ?

— Pasque tu sais pas t'en servir. À tous les coups t'aurais esquinté un pauvre type qui s'tenait par là. Ça aurait pas arrangé tes affaires, tu crois pas ?

— J'veux rester avec toi ici, répondit Darryl.

— Tu m'verras tous les jours ou presque, au supermarché. Et puis j'irai t' voir chez les MacDaniels, et puis tu peux venir ici quand tu veux. Allez, Darryl, c'est ça qui est bon pour toi, là. Tu seras bien là-bas. Moi j'veux qu'tu sois là-bas, et ta maman elle veut, et les MacDaniels i' veulent. Les seuls qui veulent te voir par ici, c'est Philip et sa bande de macaques. Oh oui, eux, i' demandent que ça.

Darryl hocha la tête et donna l'accolade à son ami. Lorsque les MacDaniels vinrent le prendre, il fondit en larmes.

— Pleurer j'l'avais encore jamais vu, raconta Socrate à Right le même soir.

Ils se repassaient une bouteille de mauvais whisky.

— C'est bien pour lui, qu'i' puisse pleurer, ajouta-t-il après en avoir pris une gorgée.

— Ooooh oui, grogna Right, tellement saoul qu'il oscillait sur sa chaise. L'a pleuré, ce 'ti-là !

— Et c'est bien pour moi aussi, remarqua Socrate. Tu sais, à vivre à deux là-dedans, on étouffe, des fois.

— Ooooh oui, ooooh oui.

— Right ? Tu vas pouvoir rentrer ?

Le vieil homme releva la tête de sa tasse, cligna laborieusement les paupières.

— Euh... non.

— Te bile pas, frère, lui dit Socrate en riant. Tu prends mon lit. Allez, vas-y à l'instant, avant que tu t'étales par terre !

Irene Fortlow se dirigea vers Socrate, assis à la petite table dans leur séjour à Cartersville. Dans la grande fenêtre, le ciel était bleu, le maïs vert. Il passa ses bras musclés autour de la taille de sa mère et posa la tête sur sa poitrine. Quand elle commença à lui caresser les cheveux, il tomba dans un profond sommeil, jusqu'au matin.

La rue était aussi bruyante que d'habitude — voitures passant avec la sono à fond, sirènes de police, cris et invectives. Mais il ne se souvenait pas d'avoir mieux dormi, jamais.

Lettre à Theresa

1

Il avait été malade trois jours durant. Une grippe intestinale, et une mauvaise. Son ventre rejetait tout, même l'eau. Prostré sur son canapé-lit, déshydraté, brûlant de fièvre, il se demandait avec inquiétude s'il n'allait pas perdre sa place au supermarché, uniquement parce qu'il n'avait pas le téléphone et ne pouvait donc pas les prévenir qu'il était souffrant. Il y avait bien une cabine téléphonique à trois pâtés de maisons de chez lui, mais il avait à peine la force de se traîner jusqu'à la cuisine.

Les deux premiers jours, il s'était péniblement levé pour boire et aller aux toilettes. Le troisième, il était resté la bouche sèche, au bord de l'évanouissement dès qu'il tentait de se mettre debout. Si son corps avait encore produit de quoi, il aurait uriné dans ses draps.

Personne n'était passé le voir. À nouveau, il avait amèrement regretté d'être resté sans téléphone. Il agonisait parce que aucun ami n'entendrait son appel à l'aide, c'était une évidence pour lui.

La plupart du temps, il avait dormi, rêvant de la prison et de camarades d'enfance. De sa mère, aussi. Sa voix résonnait dans la cellule vide et grise, sa voix qui le hélait depuis la tombe.

169

L'après-midi du troisième jour, Socrate ouvrit les yeux. Mais il continuait à rêver.

Theresa était debout au pied de son lit. Il ne se serait pas réveillé, même si le directeur de la prison était entré le lui commander. Même si Dieu, avec son grand marteau doré, avait ouvert la séance du Jugement dernier.

— Theresa ?

— Oui, mon bébé ?

En entendant cette voix, il redevint un jeune homme revenant à la maison après une vilaine bagarre. Il n'arrivait pas à se rappeler pour quelle raison il s'était retrouvé dans une castagne pareille, ni contre qui il s'était battu. Theresa, d'ailleurs, ne posa pas de questions. Elle l'attira contre elle, posa une serviette mouillée sur son front. Tandis que les vrilles glacées de l'eau lui chatouillaient le cou et les épaules, elle posa une main apaisante sur sa poitrine.

— Calme... Bébé... Calme...

Quand il se réveilla, il rêvait encore. Theresa était auprès de lui. Ses plaies avaient été pansées.

— Hello, bébé.

Dans ses souvenirs, elle portait un pantalon marron et l'un de ses vieux tee-shirts déchirés qu'elle aimait lui emprunter. Son visage était un miroir. Chacune de ses blessures et de ses bosses se réflétait dans les yeux inquiets de la femme.

— Pardon, Theresa.

— Quand vas-tu arrêter de te comporter comme ça, Socrate ?

— Je sais pas.

Quelque chose tomba ou se brisa dans la cuisine, mais ses yeux ne quittaient pas ceux de Theresa.

— Tu sais... Tu sais, je serai pas toujours là pour soigner tes bobos, là. Je peux pas passer ma vie à me faire du souci pour toi.

Il avait mal à la tête. À cause des mots qui n'arrivaient pas à sortir et qui restaient enfermés dans son crâne en se cognant aux parois. Il voulut s'humecter les lèvres pour parler. Il n'avait pas de salive.

— Ne... Ne pars pas.

La phrase était morte dans sa gorge.

2

— Socco ? T'as dit quoi ? Socco ?

Là où Theresa s'était tenue un instant auparavant, il y avait maintenant un grand garçon dégingandé. Darryl.

— Verse-moi d'l'eau sur la tête, Darryl.

— Hein ?

— Verse-moi d'l'eau sur la tête.

Après quelques protestations, il se résolut à aller prendre un seau et à en verser une partie sur le crâne, la nuque et les épaules de Socrate. L'ancien taulard s'était penché de côté afin de ne pas tremper le matelas. Quand le liquide glacé se mit à pleuvoir sur sa peau moite de fièvre et à dégouliner sur le sol en béton, il poussa un long gémissement.

Darryl sortit acheter de l'aspirine et de la soupe en boîte. Pendant deux jours, ce fut lui qui nourrit Socrate à la cuillère.

— Où t'as appris à t'occuper d'un malade, toi ? lui demanda Socrate alors qu'il commençait à se rétablir.

— Ma reum elle l'a bien fait avec moi, non ? répondit-il.

Sol Epstein, son chef au supermarché, ne cacha pas sa joie en voyant Socrate reprendre le travail.

— Quand vous êtes là, on dirait que tout le monde en met un coup, remarqua-t-il.

Il ne douta pas une seconde que Socrate avait été

malade. Il veilla même à ce que ses jours d'absence lui soient payés en congé-maladie.

Socrate se remit à la tâche avec une énergie et une résistance qu'il n'avait pas eues depuis longtemps. Chaque nuit, il dormait profondément, mais avec l'impression que si quelqu'un était entré dans la pièce il l'aurait su aussi vite qu'en état de veille. Avec l'impression de garder les yeux ouverts.

À son premier jour de congé, il se leva de bonne heure, s'installa à la table de la cuisine et entreprit d'écrire une lettre sur un bloc-notes de l'Holiday Inn qu'il avait acheté d'occasion au surplus militaire.

3

« Chère Theresa, commençait la lettre, comme je t'ai vue l'autre jour en rêve, je voulais te dire un bonjour. »

Il resta une heure à relire et relire encore sa première phrase. Tout était vrai, d'accord, mais cela ne le menait nulle part. Il ne pouvait pas évoquer sa grippe, son mal de tête, Darryl et le seau d'eau : il aurait eu l'air de vouloir se plaindre, de jouer les petites natures. Si elle avait pu le voir, bien sûr, elle aurait compris, elle aurait vu qu'il était capable de se débrouiller tout seul, désormais.

« J'aimerais te voir, vraiment. J'aimerais tellement. Comme ça, je pourrais te raconter la prison et te dire comme tu avais raison. Sans doute que tu t'es mariée et que tu as eu plein d'enfants, depuis... »

Il s'interrompit encore, relut ce qu'il venait d'écrire. Se demanda s'il le connaissait, son mari, et quel âge devaient avoir ses enfants. Il fit le compte du temps passé. Trente-cinq ans. Il y en avait eu un à l'époque où elle lui envoyait encore des lettres en prison, puis un l'année suivante... Une douzaine, peut-être. Le plus grand devait avoir dans la trentaine, le cadet vingt-trois ans, au moins.

« ... Et même des petits-enfants, je pense. Tu me manques, T. J'ai failli crever de la grippe, alors j'ai pensé à toi. Toi qui disais toujours : mais quand tu vas t'arrêter d'être tête en bas ? Moi je répondais jamais, parce que je voulais pas te dire des mensonges. Tu le sais, que j'aurais voulu arrêter. Mais si j'avais dit que j'arrêtais et que je l'avais pas fait ?

« Maintenant, oui, c'est fini. Voilà huit ans et plus que je suis sorti du trou. J'ai pas fait de bêtises, depuis. J'ai trouvé du travail et une maison et des amis et y a ce garçon que j'essaie d'aider... Je sais que tu t'es mariée, T., vu que tu le voulais et que toi, ce que tu voulais, tu l'as toujours fait.

« Je me souviens quand tu m'as amené sur la tombe de ton père à Haven Home. Et tu m'as dit qu'il était sous la terre d'accord mais qu'il était quand même plus un vrai homme que presque tous ces nègres qui sont encore sur leurs deux jambes. Je me rappelle ça. Je sais que tu disais pas ça pour moi mais que bon c'était aussi à propos de moi.

« Seulement, je suis plus comme avant, tu vois. Maintenant je suis capable de me débrouiller et je me retrouve plus dans les embrouilles, même les embrouilles que j'ai pas causées moi.

« J'aimerais qu'on se revoie, T. Comme deux bons amis, simplement. À la fin de cette lettre, j'écris mon adresse, comme ça si tu la reçois et que tu veux me répondre, tu peux. »

Il signa, plia la feuille et se rendit à la poste principale de Central Avenue. Il se souvenait de l'adresse de la mère de Theresa. C'était facile : elle s'appelait Rose et elle habitait 32 Rose Street.

Sylvia Marquette tenait une petite boutique où l'on trouvait surtout des bonbons, des chips, des boissons gazeuses et des bières. Mais au fond, derrière le réfrigérateur, il y avait plusieurs rangées de boîtes en cuivre encastrées dans le mur.

L'adresse postale de Socrate était là.

— Hé non, messié Fortlow. Pas de courrier pour vous.

Un visage presque noir, aux traits compacts, sans vrai front et pratiquement sans menton. Mais le blanc des yeux brillait comme des ampoules de cent watts dans cette figure ingrate.

— Pourquoi vous venez tous les jours maintenant, messié Fortlow ? Avant je vous voyais une fois par semaine, pas plus !

— Une lettre que j'attends.

— Un chèque ?

Le voltage de ses yeux augmenta encore.

— Une doudou d'y a longtemps.

— Oooh, roucoula la commerçante, dont la voix avait pris une nuance voilée, très érotique. Ça c'est encore meilleur que l'argent, des fois, sauf si vous êtes dans la panade.

— Sauf si la fille elle est partie, compléta Socrate, ce qui les fit éclater de rire ensemble.

— Bon, d'accord, reprit-il pour conclure leur petit jeu. J'reviendrai demain, donc.

— Ça fait toujours plaisir de vous voir, messié Fortlow, affirma-t-elle sincèrement.

Socrate était de bonne humeur en quittant le minuscule magasin, et pourtant il avait dû se résigner à un triste constat alors qu'un mois s'était déjà écoulé depuis le jour où il lui avait écrit : Theresa l'avait quitté à jamais, une deuxième fois.

Il dormait depuis un moment et cependant Sylvia continuait à rire. Mais au lieu de la franche hilarité d'une véritable amie, elle faisait penser à une sorcière de dessin animé, qui se moquait de sa déception en caquetant affreusement. Il en avait l'estomac noué, ses ricanements caverneux lui agressaient les tympans. Quand il se réveilla au milieu de la nuit, il eut l'impression d'être retombé malade.

Debout, cela allait encore. Mais s'il se mettait à somnoler, voire même s'il s'allongeait, le rire revenait, et avec lui la nausée.

— Vous devriez prendre votre journée, monsieur Fortlow. Vous avez vraiment mauvaise mine.

Le visage blanc de Sol Epstein était plissé par la préoccupation.

— Oh non, pas du tout. Non, laissez-moi faire l'après-midi, aussi.

— En plus de ce matin ? Avec la tête que vous avez, vous devriez plutôt être chez le médecin !

— Je... Je dors mal, vous voyez, alors si je fais deux services ça me fatiguera assez pour ce soir.

— Qu'est-ce qui ne va pas ? s'enquit le supérieur de Socrate.

— C'est ces rêves que j'ai, là. Pas des rêves, vraiment, des drôles de choses que je vois et j'entends quand je dors.

Sol Epstein était un petit homme trapu dont l'apparence robuste cachait mal une tendance à l'embonpoint. Il avait des cheveux d'un gris qui tirait sur le bleu, des yeux clairs et implacables comme ceux d'un contremaître mais aussi un sourire d'oncle bienveillant, quand il lui arrivait de sourire. Ce qui était le cas à cet instant.

— Peut-être que vous auriez besoin d'aide, mon vieux ?

— De l'aide ? Comment ça ?

— Assistante sociale, psychologue, que sais-je...

— Bah ! C'est n'importe quoi, ça. Tout c'qu'i' m'faut, c'est d'bosser et bosser jusqu'à que j'tienne plus sur mes jambes. Rien d'autre !

Il venait de repenser au psychiatre de la prison, uniquement capable de vous faire remplir des feuilles de tests avec plein de carrés et de ronds dessus, ou de vous donner des calmants à assommer un bœuf.

— Alors, je peux rester ? demanda Socrate.

— Mais oui.

C'était l'oncle, et non le contremaître, qui parlait.

5

En quatre jours, il assura sept roulements au supermarché. Tous les soirs, il passait vérifier son courrier chez Sylvia Marquette, puis il rentrait à la maison et buvait quelques verres de whisky en écoutant du jazz cool à la radio.

Cela ne servit à rien. Le sommeil ne venait toujours pas.

Il maigrissait et son ouïe lui jouait maintenant des tours, les sons lui parvenaient plus forts que nature, métalliques, parfois il n'entendait plus du tout ce qu'on lui disait, il avait l'impression qu'on lui parlait en chinois ou en quelque autre langue exotique.

Quand il se regardait dans la glace, il se trouvait vieilli et pour la première fois de sa vie il sentit ses bras s'affaiblir. Se sachant désormais incapable de triompher d'une bagarre à mains nues, il recommença à porter un couteau sur lui, l'oreille tendue pour tenter de saisir ce langage étrange que chacun employait autour de lui. C'était les nuances menaçantes qu'il guettait, rien d'autre.

Un jour qu'il était en train d'observer Sol Epstein

en train de prodiguer son sourire de brave oncle à Noah Hoag, un jeune du service d'emballage, il se rappela le conseil de son chef. Une assistante sociale, un psychologue, une aide quelconque. Il n'avait plus le choix.

Le lendemain, poussant son chariot de livraisons, Socrate alla porter leurs courses aux Watson, aux Kirkaby, aux Stein. Huit dollars soixante-quinze de pourboires. Ensuite, il descendit une longue allée de Beverly Hills, qui était mieux goudronnée et entretenue que les rues principales de Watts, il marcha jusqu'à une maison de Chadly Lane et prit l'entrée de service, une porte en séquoia dissimulée par des buissons de roses.

Il frappa chez Mme Hampton mais il savait qu'elle était à Miami, auprès de sa sœur mourante. N'obtenant pas de réponse, il enfila ses gants de travail, chercha la clé dissimulée sur le chambranle et entra.

Toutes les pièces étaient peintes en blanc et vert, décorées de meubles en bois sombre. Sur chaque rebord de fenêtre, des photographies de parents, d'amis, dans de petits cadres. Il faisait frais, un discret et doux parfum flottait partout.

Tous les jeudis, il livrait à Mme Hampton sa commande, poitrine de bœuf ou petits poulets, poivrons, pommes de terre, boîtes de limonade diététique congelée. Parfois, elle passait au supermarché ajouter un article à la liste et quand elle devait s'absenter elle lui expliquait où se trouverait la clé. Si elle était sortie, il y avait toujours quatre dollars pour lui, soigneusement étalés sur la petite table à côté du téléphone.

Ce jour-là, pourtant, les billets n'étaient pas là. Socrate s'assit devant la table et laissa son regard errer sur Chadly Lane à travers les rideaux en dentelle. Au loin, un klaxon retentit faiblement. Il fut soudain frappé par le calme qui régnait dans cette maison. Pas de cris, pas de conversations.

Le numéro de téléphone était facile à mémoriser, puisque ses quatre derniers chiffres étaient les lettres G.I.R.L.

— « Girls », annonça une agréable voix féminine. Quel genre de filles voudriez-vous, monsieur ? Une blonde, une brune ? Une petite Asiatique, peut-être ?

— Je voudrais parler à Theresa, répondit Socrate.

À l'autre bout de la ligne, la femme hésita. Avait-elle perçu la violence, le désespoir qui étaient en lui ?

— Un instant, je vous prie.

Il y eut un déclic, puis un silence complet. Pendant quelques secondes, Socrate se demanda si elle n'avait pas raccroché.

— Allô ?

C'était la voix d'une Noire.

— Theresa ?

— Euh... Oui. Qui c'est ?

— C'est Socrate.

— Ah, 'jour, Socrate, s'exclama-t-elle, comme si elle était contente d'entendre un ami de longue date. Qu'est-ce que je pourrais faire pour toi ? Tu veux savoir comment j'suis habillée, là ?

— Comment tu vas, Theresa ?

— Moi ? Bien, oh, très bien.

— Aaah... Ça fait un bout d'temps, tu sais.

— Oui, approuva-t-elle d'un ton moins pétulant. Euh, messié Socrate, tu attends quoi de moi, dis ?

— Causer, juste causer.

— Causer d'quoi ? demanda-t-elle, désormais sur ses gardes.

— Causer à Theresa, voilà c'que j'veux.

— Alors, tu veux me dire quoi ?

178

— Tu es Theresa ?

— Ouais, là, tout de suite, ouais. Alors, tu voulais me dire quoi ? Pasque moi j'vais pas écouter des trucs de détraqué, hein, chéri ?

— C'est juste que ça fait bien longtemps, alors j'voulais t'entendre, c'est tout.

— T'as été malade ? l'interrogea la Theresa du téléphone.

Socrate laissa échapper un rire sec.

— Oh oui, ça c'est la dernière chose d'une longue série d'choses. J'ai été malade, oui, et j'ai rêvé de toi.

— Et j'portais quoi ?

— T'avais ton pantalon en toile et ce vieux tee-shirt à moi, tu sais... Moi, j'étais esquinté et alors tu posais une serviette mouillée sur ma tête.

Des larmes coulaient de ses yeux mais il arrivait à refouler les pleurs de sa voix.

— Ah... Et puis ?

— J'me retrouve plus dans les bagarres comme ça. Le baston tous les soirs c'est fini. Je bois qu'chez moi, un ou deux verres, pas toujours... Tu sais, Theresa, j'ai appris des choses. J'suis sorti de taule et j'suis pas prêt d'y retourner, oh non.

— Oui, chéri, ça c'est bien. Et maintenant que t'es sorti, tu vas faire quoi ? D'être avec une femme, ça a dû te manquer, là-bas dedans ?

— Les premières années, oui, c'était dur, mais après pas trop. J'ai pigé, tu m'suis ? J'ai compris que d'vivre, c'est un peu comme la musique. Tu vois c'que j'veux dire, là ? Comme quand tu marches, hein ? Chaque pas fait la même longueur, prend le même temps. Et ton cœur, c'est pareil. Et les yeux aussi, on les cligne toujours à la même vitesse, sauf quand y a quèqu' chose qui vient te gêner. Comme quand tu prends d'la fumée, ou qu'tu dois t'mettre à courir... (La Theresa du téléphone respira plus fort, c'était un bâillement réprimé, mais Socrate n'en tint pas

179

compte.) Alors si tu peux toujours garder ce rythme-là, y a pas d'raison d'se saouler ou de chercher la bagarre, moi je dis.

— Combien... Combien t'as été en prison ?

— Vingt-sept ans.

— Et tout c'temps-là ta doudou elle t'a manqué ?

— Toutes les nuits j'pensais à toi. J'ai compris que t'avais eu raison et moi tort, seulement c'était comme si j'pouvais pas m'en empêcher, tu vois ? Je pensais à tous les gosses et à tout l'bon temps qu'on aurait pu avoir ensemble, et même aux coups durs aussi. P'têt' que j'serais devenu un gros pépère à boire ma bière sur la terrasse pendant que toi tu causes à tes amies au téléphone et qu'tu cries aux petits d'arrêter leur chahut... J'y ai pensé tellement, à tout ça, que j'l'ai vécu pour de bon, plus que si j'avais été en liberté, même.

— Et mon corps, i't'a manqué aussi ?

— Oui, murmura Socrate. Oh oui.

— Alors la nuit t'étais sur cette planche là-bas et t'avais ton truc dans la main et t'aurais voulu que j'l'embrasse, c'est ça qu'tu pensais ?

Socrate hocha la tête.

— Hein ?

— Oui...

— Eh ben moi aussi c'est c'que j'voulais, chéri. Cette grosse queue-là que t'as pour moi, j'm'en languissais, tu vois. J'pensais plus qu'à ça, tu vois. J'avais envie qu'tu m'la mettes, tout de suite.

Un autre coup de klaxon lui parvint de la rue. Lorsqu'il raconta à Right Burke des semaines plus tard qu'il avait été assez fou pour s'introduire chez Mme Hampton et pour téléphoner à la « femme de ses rêves », il se souvenait encore de ce bruit.

— C'est à cause des cochonneries de cette Theresa-là et à cause de c'klaxon, lui confia-t-il alors qu'ils étaient assis devant un échiquier dans le parc McKinley. C'est ça qui m'a réveillé.

— Comment ça, réveillé ? T'étais en train de dormir debout ou quoi ?

— Exactement ! Depuis cette grippe que j'ai eue, j'vivais dans un rêve, mon vieux. Elle était tellement... vraie. J'étais sûr de la voir. J'ai même essayé de lui écrire, hé ! Tu t'imagines, j'lui ai même pas causé une fois en trente ans et m'voilà en train de lui envoyer une lettre et d'l'appeler au téléphone.

— Ça..., souffla Burke en passant sa main paralysée sur son torse. T'étais bien secoué, alors ? Et t'as vraiment cru que c'était ton ex à l'autre bout du fil, dis ?

— J'voulais que ce soit elle, Right ! J'voulais tellement faire comme si c'était vrai, jusqu'à arriver à y croire, même un peu. Mais quand cette fille-là elle a commencé à m'faire bander, alors non, j'pouvais plus faire semblant. La femme que j'voulais, elle est plus là. Elle existe plus.

6

Un mois passa. Socrate avait retrouvé son train-train. Il dormait du soir au matin, ne se levant qu'à deux reprises pour aller aux toilettes.

Mme Hampton ne semblait pas se méfier de lui depuis le jour où il avait utilisé son téléphone à son insu. Qui sait, elle était assez riche pour ne pas remarquer une communication inexplicable de dix ou douze dollars sur sa facture. Ou bien elle avait protesté auprès de la compagnie, qui avait rectifié sans discuter.

Darryl grandissait de jour en jour. Sa voix était plus grave maintenant, sa démarche souple, élégante. Grâce aux exercices physiques que Socrate lui avait appris, il s'était musclé les bras.

Il rentrait chez lui un jour quand il entendit une femme l'appeler derrière lui :

— Messié Fortlow ! Hé ! Socrate !

Sylvia Marquette arriva à sa hauteur. Malgré toute sa force, le soleil qui tombait sur Central Avenue n'arrivait pas à rivaliser avec l'éclat de ses yeux.

— Ça fait bien un mois et demi que j'vous ai pas vu, messié Fortlow !

— Eh oui, reconnut Socrate.

Il y avait quelque chose en elle qui continuait à le gêner. Son menton fuyant, ou les poils qui jaillissaient d'une verrue sur sa joue droite...

— Z'avez reçu cette lettre, annonça-t-elle.

Cher Monsieur Fortlow,

Voilà des années et des années que j'avais oublié votre nom. J'ai longtemps espéré ne plus jamais avoir à entendre parler de vous. Dieu me pardonne, des fois j'ai même souhaité que vous ne ressortiez jamais plus de prison. Mais votre lettre m'est allée droit au cœur, alors je me suis finalement décidée à prendre la plume pour répondre à vos questions. Je suis désolée d'avoir tant tardé, seulement j'ai perdu la vue et j'ai donc dû attendre que ma petite-fille Cova me rende visite et qu'elle me lise ce que vous aviez écrit.

Theresa, ma fille, a épousé Criston Jones en 1961. Ils m'ont donné quatre beaux petits-enfants, y compris Cova, qui écrit la présente. Ensuite, ils sont partis à Los Angeles. Là, ils ont eu encore quatre enfants. Criston a travaillé très longtemps chez McDonnell Douglas et puis il est mort du diabète. C'était un bon mangeur, alors son organisme n'a pas pu supporter une carcasse pareille.

Theresa a pu voir sa dernière fille, Teju, finir ses études et puis elle a eu une attaque, elle qui avait toujours travaillé si dur. Avec l'assurance de Criston, elle a été admise à la maison de repos de Falana mais elle ne s'est jamais rétablie. Theresa Childress-Jones s'est éteinte le 3 novembre de l'année dernière. Elle a laissé derrière elle Malcolm, Cova, Mister, Sandy, Criston Junior, Minnie, Lana et Teju, tous solides et sains, la plupart avec de bonnes situations même si Teju et Lana, elles, sont des artistes.

Je connais l'affection que vous avez portée à ma fille, alors je vous dirai que ma Theresa a eu une bonne vie. Elle a été heureuse, comblée d'amour. Je ne l'ai jamais entendue dire un seul mot contre vous et je sais que de vous voir aller en prison lui a brisé le cœur.

Theresa Childress-Jones est enterrée au cimetière de Pomona, auprès de son mari. La concession qui est à sa gauche est pour moi, monsieur Fortlow. Comme j'ai quatre-vingt-quatre ans maintenant, il passera sans doute peu de temps avant que j'aille reposer à côté de ma fille.

Je suis heureuse de savoir que vous avez trouvé la paix. Je suis sûre que Theresa en aurait été contente, elle aussi.

Bien à vous,

Rose Childress.

Il lui fallut trois heures et demie pour rejoindre Pomona en autobus par un après-midi orageux. Sa stèle de marbre s'élevait avec élégance à côté de celle de Criston, plus massive, pas aussi haute.

Les deux pierres tombales ne portaient qu'un nom et des dates.

Cela ne suffisait pas à Socrate.

Ce qu'il désirait, c'était une adresse, un numéro de téléphone. Une invitation chez elle, pour le 4 Juillet par exemple, quand tout le monde serait à la maison. Il y aurait un disque de Nat King Cole qui passerait dans le salon, qu'ils entendraient par la fenêtre pendant qu'ils boiraient tous de la bière glacée sur la terrasse. Criston et lui parleraient travail, et du coin de l'Indiana d'où ils venaient. Theresa appellerait ses enfants l'un après l'autre, les présenterait à celui qui aurait pu être leur père.

Et le jour de l'enterrement de Criston, il se serait tenu à cette même place. Theresa aurait été désorientée, abattue, mais il n'aurait pas essayé de profiter de la situation. Il lui aurait prodigué des paroles apaisantes, de l'argent, ou il lui aurait proposé de se charger de telle ou telle réparation dans la maison. Il lui aurait pris la main et lui aurait dit qu'elle avait huit petits, et un vieil ami, et qu'ils avaient tous besoin qu'elle continue à vivre.

Il voulait la ramener chez Rose, à Rose Street.

Pour la première fois depuis le temps de sa jeunesse, il avait envie de retourner au pays. Avec elle, il descendrait Rose Street, puis Thatcher Street, jusqu'à la 32e Rue, pour revoir l'endroit où les tramways passaient jadis, pour être avec une ancienne amante qui lui avait pardonné.

Il voulait entendre son pardon.

Pendant plus d'une heure, Socrate contempla les tombes, les mâchoires serrées pour ne pas invectiver les pierres, le cœur battant à un rythme désordonné. Il voulait tant, tellement ! En prison, il avait appris à vivre en se passant de désirs. Et maintenant qu'il avait laissé les désirs entrer en lui, il voulait tout...

Cette vague l'épuisa jusqu'à ce qu'il ne lui reste plus qu'une seule envie : s'allonger sur la tombe de Theresa et s'endormir. Mais il savait que ce n'était pas bien. Et même, au-delà, que c'était probablement interdit par le règlement du cimetière.

Il resta devant la stèle, chancelant.

— Hé, messié !

Un Noir, de petite taille, en costume marron trop

chaud pour ce jour-là et qui portait un drôle de chapeau. Il devait avoir le même âge que Socrate mais il paraissait plus vieux. Plus résigné.

— Oui ?

— C'est des vôtres ? demanda l'inconnu en montrant les tombes.

Socrate hocha brièvement la tête. L'autre déchiffrait les inscriptions en marmonnant des chiffres. Socrate comprit qu'il était en train de calculer leur âge.

— C'est malheureux comme tant de Noirs meurent jeunes, finit par déclarer l'homme.

— Oh, je sais pas ! s'exclama Socrate d'une voix étonnamment forte. (Sous le ciel gris perle, le feuillage des arbres luisait vert argent.) J'crois que chez nous autres beaucoup en font plus en l'espace d'un an que d'autres en seraient capables. Des fois, rien qu'en une heure, tout c'qu'on peut accomplir... Une vie entière, des fois.

Histoire

1

Pendant trois jours, Socrate resta cloîtré chez lui, face à son petit écran de télévision noir et blanc. Sitôt passés les premiers flashs d'actualité, il avait coupé le son. Il regardait les vues aériennes du quartier autour de lui, à feu et à sang. Lancinante, une bande vidéo repassait, celle où l'on voyait un Blanc sorti de force de son camion et battu par un groupe de Noirs en furie.

Il ne quittait pas la pièce confinée, se nourrissant de thon en boîte et de riz bouilli. Il n'avait pas peur des émeutes. Pas peur du risque qu'il pouvait courir s'il sortait, en tout cas : là où se trouvait Socrate Fortlow, c'était les autres qui avaient à s'inquiéter, pas lui. Et c'est justement pourquoi il ne quittait pas son antre.

Chaque nuit, dans ses rêves de détenu, il avait lancé des cocktails Molotov. Il avait détruit des visages de Blancs de ses poings et il avait ri d'aise quand le bloc pénitentiaire s'écroulait. Éveillé, il avait prié pour voir la porte de sa cellule s'ouvrir brusquement tandis qu'une mutinerie aurait fait rage dans les couloirs. Il s'y serait jeté, il y aurait volontiers perdu la vie.

La fumée qui s'infiltrait par toutes les fissures des

186

murs de sa cahute avait la délectable odeur de la vengeance. Chaque cicatrice sur son corps, chaque insulte dans ses oreilles, chaque nuit d'insomnie et chaque accès de bile, chaque minute passée en prison, chaque fille blanche sur la couverture d'un magazine, chaque image passée dans sa tête en vingt-sept ans de détention réclamait la rue. Dehors, dehors !

Pourtant, Socrate resta chez lui, se forçant à ne pas crisper les poings. À travers les minces cloisons, il entendait distinctement la rumeur des émeutiers. Et il les voyait, sur son écran muet, en train de réaliser ses propres rêves.

Le troisième jour, il surprit sur l'écran l'image tremblée d'un écriteau en train de se détacher de son support. Il n'était pas certain d'avoir bien lu, mais une demi-heure plus tard le cadre repassa sur Channel 13. Il y avait « Harpo's Bazaar » sur le panneau. Il connaissait cet écriteau. Il n'y avait qu'un seul endroit où il ait pu tomber.

Après cela, il ignora son téléviseur. Le poste continuait à scintiller mais Socrate n'était plus là. Il était retourné plusieurs années en arrière, peu de temps après sa sortie de prison.

En ce temps-là, il écumait les rues, libre enfin après tout ce temps tenu en cage. Il guettait le moindre regard, un prétexte pour casser la figure au premier venu et prendre ainsi sa revanche. Une fille qui passait en short et en débardeur suffisait à lui faire revenir le goût de ce qu'il avait mangé à son dernier repas. Ses traits aigris par le mal de ventre avaient de quoi éloigner toutes les femmes de lui et quelque part, en son for intérieur, il en était soulagé.

Il savait qu'il était sur le chemin de la violence.

Il savait qu'il mourrait plutôt que de se laisser enfermer encore une fois.

Il comptait les jours pour être capable de mesurer, à l'instant fatal, combien de temps il aurait réussi à gratter avant qu'on l'abatte comme un chien.

Et puis, au soixante-deuxième jour, il était passé devant Harpo's Bazaar, une boutique de dépôt-vente quelque part sur Martin Luther King Jr.-Boulevard. À côté, il y avait une mini-galerie dont seuls deux des cinq magasins étaient ouverts. Un marchand de vins et spiritueux, et la librairie Capricorne.

Il avait d'abord acheté une demi-bouteille de gin Apache et il était entré dans la librairie, tout simplement parce qu'il espérait que la boutique serait climatisée.

Depuis ce moment, la librairie s'était trouvée sur sa route. Il ne s'agitait plus en tous sens, cherchant du grabuge. Il avait un endroit où aller.

Tandis que l'émeute continuait derrière ses murs, Socrate se souvint du Capricorne, de ces hommes et de ces femmes qui l'avaient méprisé et aimé à la fois.

2

— Vous voulez que je vous dise, Socrate Fortlow ? Je peux pas vous voir ! (Roland Winters, un petit rondouillard à lunettes, à la peau d'un brun vineux, était indigné.) Vous et les gens comme vous, c'est rien qu'à cause de ça qu'on est dans cette vallée de larmes. Toujours à chercher la bagarre, toujours à vouloir la violence, jamais prêts à vous mettre à genoux devant Dieu...

Socrate n'était pas sorti de prison depuis longtemps : soixante-deux jours et quatre semaines exactement. Il avait pris l'habitude de se rendre à la librairie parce qu'on pouvait y passer tout le temps qu'on voulait sans que personne vous oblige à acheter ou à quitter les lieux. Il passait des heures plongé dans un livre et il lui arrivait même de bavarder avec les autres « clients » installés à la table de lecture.

Roland était assis dans la lumière verdâtre qui venait de la vitrine teintée. Mme Minette, la propriétaire du Capricorne, était installée derrière sa caisse, un sourire rêveur aux lèvres comme si tous ces lecteurs devant elle étaient un hommage silencieux.

La paume de Socrate palpitait, prête à s'abattre en gifle. Il se retint, cependant, non parce qu'il jugeait que ç'aurait été mal de frapper Roland mais parce qu'il voulait garder ses entrées à la librairie : il aimait piocher dans la section des auteurs afro-américains, puis parler de ses lectures avec M. et Mme Minette.

Cow-boys noirs chevauchant à bride abattue dans les plaines de l'Oklahoma. Hommes de science noirs, ou héros de guerre, ou bandits. Il se sentait bien dans l'odeur d'encens du Capricorne, et dans la découverte incessante de réalités qu'il n'avait jamais soupçonnées.

— Oh, arrête un peu, Roland, intervint Minty Scale. Arrête ton char. Socco, il a juste posé une question, là. Et même pas à toi, en plus !

— Je me tairai si je veux, protesta Winters. Il peut poser des questions, alors moi je peux dire ce que je pense, non !

Minty plissa sa grosse lippe en un sourire paresseux. Dans les trente-cinq ans, de longs membres osseux, il était tapissier de profession mais pour l'heure au chômage. Socrate eut l'impression qu'il cherchait à asticoter Roland plutôt qu'à le calmer.

— J'ai pas besoin d'aide, Minty, intervint l'ancien taulard. J'peux bien m'débrouiller tout seul.

— Non, Socco, déclara la quatrième personne assise à la longue table. Si les peuples d'Afrique avaient eu de la poudre et des armes, ça aurait vraiment rien changé. Les Africains, i'voulaient pas la guerre, tout simplement. Pas comme ces Européens, là ! D'ailleurs regarde, les Chinois c'est pareil, depuis mille ans qu'i' connaissaient la poudre à canon, eh bien i's'en sont jamais servis pour faire des choses comme les Européens ont faites.

Celui qui venait d'intervenir n'était connu que sous le nom de Bill. Comme il pesait pas loin de deux cents kilos, il devait s'asseoir sur une caisse et non sur l'une des chaises pliantes de la librairie. Il travaillait dans une agence immobilière du coin et se déplaçait dans une Impala 1969 rose toute chromée, une vraie splendeur.

— La Chine ! aboya Roland. Ah ! Mais elle en a des armes, la Chine ! Des fusils, des canons et même la bombe atomique ils ont. C'est c'que des gens comme ça (il désignait Socrate d'un geste dégoûté) comprendront jamais. Ou bien ils s'en fichent, hein ! Quand on commence avec les armes, même pour causer, ça finit jamais, c'est l'escalade. Un coup de poing, ensuite un flingue, ensuite la dynamite, ensuite le canon, et puis la bombe atomique !

— La bombe atomique ? s'étonna Minty. De quoi qu'tu causes, Roland ? Me dis pas que les types du gouvernement là-haut t'ont fait gober ça, hé ! La bombe atomique ! Rien qu'un bobard pour nous faire marcher à la baguette, ça. Ah oui, i'te disent qu'y a une bombe tellement horrible que mieux vaut même pas penser à réclamer c'qui t'est dû. C'est comme ça qu'i' nous tiennent tous, avec des boniments genre bombe atomique !

Minty fit pivoter sa chaise afin de faire face à tous ses auditeurs. Quand il leva une jambe et posa son pied nu sur la table, Mme Minette fronça les sourcils. Minty, et tous ses visiteurs aussi bien, savait pertinemment qu'elle n'aimait pas voir son mobilier traité de cette manière, mais elle n'aurait jamais interrompu un débat d'idées, jamais.

— Oh, hé, Minty ! fit le gros Bill. T'es quand même pas en train de dire que tu crois pas à la puissance nucléaire ?

— Ah non ? Attends, j'te demande quèqu' chose : dans les années 64-65, il t'arrivait de regarder l'émission de Walter Cronkite à la téloche ?

— Oui, et alors ?

— Moi aussi. Tous les soirs, j'me mettais devant, histoire de voir s'ils allaient montrer une image de mon frère Doren qu'était au Vietnam, en ce temps-là. Eh bien, tu sais, j'avais pas plus de douze-treize ans, mais ça m'empêchait pas de savoir que ce vieux Walter, il mentait comme un arracheur de dents.

— Comment ?

— Que des craques, mec ! Tel jour, cinq cents Viets tués, un Américain blessé. Le lendemain, deux mille soldats d'Oncle Ho envoyés au tapis, trois Américains disparus. Et ainsi de suite. Bordel, tu additionnes tous ces bobards et à la fin de la guerre, c'est pas seulement le Vietnam qu'on a bousillé, c'est la moitié de l'Asie !

— Mais là c'était la guerre, Minty, objecta Bill. En temps de guerre, ils mentent comme ça pour préserver le moral du pays.

— Et maintenant aussi c'est la guerre, déclara Socrate, trop timidement à son goût, mais il était impressionné par les prouesses intellectuelles dont faisaient preuve les habitués du Capricorne.

Ils lui paraissaient si sûrs de leur jugement et de leurs paroles...

— Hein, Socco ? demanda Minty, dont le sourire s'était encore élargi.

— C'est bien c'que tu disais tantôt, non, Minty ? Que nous on était en guerre contre ces mecs qu'ont tout, qui contrôlent tout, les journaux, la télé, l'armée, les flics... I' nous racontent que c'qu'i veulent qu'on sache, pas vrai ? Quand c'est pas vrai c'est vrai quand même et... et quand c'est vrai c'est pas important vu que ça leur sert seulement à s'en tirer.

Socrate sentait une pellicule de sueur se former sur son crâne chauve. Il ne se laissait pas facilement intimider, il était prêt à faire face à des situations que la plupart des gens auraient fuies, épouvantés, et cependant il était gêné devant les clients et les patrons de la librairie. Ils avaient lu, eux, ils lisaient. Ce n'était pas des avocaillons commis d'office, ni des frimeurs. Ils étudiaient l'histoire du peuple noir parce qu'ils désiraient apprendre et encore apprendre.

— Et voilà, c'est reparti ! railla Roland Winters. Et ça cause guerre, et ça cause violence, et ça rejette la faute sur les autres, toujours les autres. Vous pouvez causer et causer mais vous abuserez pas Dieu, oh non. Au jour du Jugement y aura pas d'excuses, les « c'est pas ma faute », Dieu, il en veut pas ! On peut pas dire : « C'est à cause de ce journal que j'ai tué ce type », ou « c'est à cause de ce Playboy que j'ai violé cette fille » !

Il frappait sur son ventre rond comme s'il avait un petit tambour sous son tee-shirt.

— Laissez-le un peu parler, Roland.

La voix était douce, éthérée. La voix qu'ont les fantômes dans les vieux films noir et blanc.

Tous les hommes se retournèrent. Mme Minette intervenait rarement dans les discussions qui s'engageaient chez elle. D'après la rumeur, elle avait dix ans de moins que son mari, lequel en avait quatre-vingt-cinq, et pourtant elle ne semblait même pas avoir atteint la cinquantaine. Toute la journée, elle restait derrière sa caisse, souriante, presque muette. Elle était la véritable patronne de la boutique, qui n'était guère plus qu'une grande pièce aux murs couverts de rayonnages avec son étroite table de lecture le long de la vitrine.

192

— C'est qu'il dit des choses pas justes, Winifred, se défendit Roland.

« Winifred » : Socrate répéta le nom en lui-même.

— Ici, tout l'monde peut dire ce qu'il veut, murmura-t-elle. Alors, vous disiez quoi, messié Fortlow ?

— Oh, moi ? Pas grand-chose là... (Il se retrouvait à nouveau taulard, en train de mentir à un maton.) C'est Minty et Bill, i'disaient juste... i' disaient qu'on est en plein dans une guerre de mensonges, nous tous.

— Une guerre de mensonges ?

C'était le même ton, la même inclinaison de la tête qu'elle avait lorsqu'elle s'adressait aux enfants qui participaient au programme éducatif que la librairie proposait après l'école.

Socrate préféra ignorer sa condescendance.

— Ouais, c'est c'd' ça qu'i' causait, Minty. Que pratiquement tout c'qu'on entend, nous autres, c'est du baratin. Ou pire encore, c'est que la moitié de la vérité. Et c'est à cause de ça que Roland et moi on... on s'est irrités comme ça, là...

— À cause de quoi ? fit Oscar Minette.

Socrate n'avait même pas entendu la clochette de la porte d'entrée.

— 'Jour, dit Winifred à son mari.

Socrate percevait toute la tendresse et la confiance qu'il y avait dans ce salut. Et cela lui faisait du bien.

— Hé, messié Minette ! s'exclama Minty en retirant ses pieds de la table. Comment va ?

— Oscar, se contenta de prononcer Bill en guise de bienvenue.

M. Minette était grand, mince, et il boitait. Il était vêtu d'un costume gris pelucheux et d'une chemise en rayonne couleur chocolat. Il s'appuyait sur une canne marron, assortie à ses chaussures.

Il salua chacun des présents d'une inclinaison du torse, puis demanda encore une fois :

— Vous étiez en train de dire quoi, messié Fortlow ?

3

Socrate regardait fixement le libraire. Il avait compris sa question, certes, mais n'arrivait pas à imaginer une réponse. Ou plutôt il la connaissait et cependant elle paraissait soudain inutile, dérisoire. Il se sentait comme un gamin à l'école, stupéfait d'entendre qu'on l'appelle au tableau. « Moi, maître, moi ! » Il se souvint d'avoir crié ainsi, le bras tendu en l'air avec une telle véhémence qu'il en tremblait « Moi ! »

Oscar Minette traversa la vaste pièce en boitant, s'approcha lentement de sa femme qui lui tendit une joue ronde et douce puis se leva et se mit sur la pointe des pieds pour l'embrasser à son tour.

Bill avait bondi pour aller prendre une chaise pliante derrière le comptoir. Il la déplia en hâte et l'installa devant le doyen de l'assemblée. Mais Oscar Minette ne s'assit pas. Il resta debout derrière le dossier, posant une main dessus afin de garder son équilibre.

— Vous disiez quoi, Socrate, alors ?

— Que Roland et moi on est toujours à s'disputer pasque ni l'un ni l'autre on peut croire à c'qu'on se dit.

Socrate entendait ses mots à mesure qu'ils sortaient de sa bouche. Ils lui parurent appropriés, peut-être même justes. Vingt-trois années de pauvreté et de ressentiment, puis vingt-sept de prison, et puis soudain tout se mettait en place...

— I'nous mentent tellement qu'on finit par chercher sans arrêt le sale coup qui s'cache derrière c'qu'i'disent. Et y en a toujours un, même quand on y pensait pas.

— Mais j'ai jamais rien dit de tel ! protesta Roland. J'ai dit que je vous aimais pas parce que vous voulez pas reconnaître Dieu. Parce que vous causez tout le temps de bandits comme ce George Washington Williams, et de cow-boys, et de revolvers...

Socrate n'avait plus envie de gifler son contradicteur. En fait, il ne voulait plus agresser quiconque, et c'était la première fois de sa vie, aussi loin que sa mémoire pouvait remonter.

— Mais un bon chrétien, i'doit pas éduquer et pardonner ? glissa Minty toujours avec son petit sourire en coin.

Oscar Minette ne quittait pas Socrate des yeux, Winifred souriait à son mari, Roland se tenait coi tandis que Minty l'observait d'un air sarcastique.

Des années après, alors que l'émeute faisait rage dehors, l'image de ses premiers amis à la sortie de prison était toujours aussi nette dans le cerveau de Socrate. Et l'odeur d'encens, et la radio qui chuchotait dans le placard sous la caisse enregistreuse de Mme Minette...

— Y a toujours des mensonges, répéta-t-il. L'homme, i'dit aux autres de croire à quèqu' chose pasqu'i' l'croit, lui, et ensuite i's'rend compte que c'était faux. Ou comme le ti' bougre qui dit à une fille qu'i' l'aime et après, quand l'a eu c'qu'i'voulait, i' la regarde même plus ! Et i'la gronde pasqu'elle prépare la nourriture en retard, ou qu'elle papote trop avec ses commères.

Oscar Minette l'approuva d'un hochement de tête.

— Dès que le Noir ouvre la bouche, c'est pour mentir, poursuivit Socrate. Et i' l'sait, en plus ! Alors, si l'est assez veinard pour durer vieux, le mieux, c'est qu'i' cause pas trop. « J'ai faim », « J'suis crevé là », c'est à peu près tout c'qui est pas des mensonges dans sa bouche.

Roland partit. Depuis ce jour-là, il ne s'attarda plus à la librairie dès lors que Socrate s'y trouvait. Minty remit ses chaussures et s'en alla aussi. Il avait un rendez-vous galant, se souvenait Socrate, avec une institutrice. Bill resta à sa place, se plongeant dans un journal. Il ne lisait pas souvent de livres, lui, mais il adorait parler avec ceux qui en lisaient.

— Vous aimeriez venir dîner chez nous un de ces soirs, monsieur Fortlow ? demanda Oscar Minette à Socrate alors qu'il se dirigeait vers la porte à l'heure de la fermeture.

— Euh, oui.

— Nous habitons la résidence de la Sainte-Église, au coin de Central et de la 47e Rue.

— Oui, je sais où c'est.

— Venez donc dimanche, vers les quatre heures. Entendu ?

Socrate s'attendait à un appartement beaucoup plus grand. Dans son esprit, le couple aurait dû avoir une immense table, d'épais tapis et une cuisine assez vaste pour nourrir une armée de petits-enfants. Mais non, ils se contentaient de deux pièces, avec un coin-cuisine dans lequel le gros Bill n'aurait pas pu entrer. Le sol était en parquet brut, et les trois assiettes posées sur la table ne laissaient même plus de place pour une corbeille à pain. Il n'y avait qu'une fenêtre, pas d'étagères, pas de livres.

— Tout ce que nous avons jamais eu se trouve à la librairie, lui expliqua Oscar autour d'un poulet rôti. Winnie et moi, on ne pouvait pas avoir d'enfants, alors on a ouvert cette boutique, il y a quarante-neuf

196

ans maintenant. C'était une idée, avant tout. L'idée de permettre à tous d'avoir accès aux livres.

Le dîner se résumait à ce petit poulet, que Winifred avait saisi à point, la peau bien craquante, la chair se détachant toute seule des os. Après, Socrate se sentit encore plus affamé qu'au moment de se mettre à table.

Mais il ne se plaignait pas, au contraire.

Les Minette avaient connu James Baldwin, et Langston Hughes, et les deux Martin Luther King[1]. Ils recevaient des artistes et des musiciens le week-end. Au cours des années soixante, ils étaient partis avec Louis Armstrong en Afrique.

— Nous, on a pas d'argent à la banque, remarqua Winifred, mais nos vies, elles sont comme des coffres à trésors...

Elle regarda son mari. Par-dessus la table, leurs mains se joignirent.

— Ça se voit, oui, affirma Socrate.

Il était à l'aise chez eux, plus détendu, retrouvant une tranquillité qu'il avait perdue bien des années avant de se retrouver en prison. Il en était si heureux qu'il craignait de parler. Il avait peur que ses mots puissent rompre la magie de l'instant.

— Et votre famille, monsieur Fortlow, elle est d'où ? l'interrogea Oscar.

Il était maintenant installé sur le canapé, Winifred toujours sur sa chaise, et son mari debout car la station assise finissait par lui donner des crampes.

— De l'Indiana.

— Ils y sont toujours ?

Socrate attendit un instant avant de répondre :

---

1. Penseurs et activistes de la cause noire aux États-Unis. James Langston Hughes, moins connu en Europe, était un écrivain et poète qui joua un rôle important dans ce qu'il est convenu d'appeler la « Renaissance de Harlem » pendant les années vingt (*NdT*).

197

— Faut croire, oui.

— Quoi, vous n'avez pas de nouvelles d'eux ? s'étonna Winifred, un sourire navré plissant ses jolis traits.

— J'ai fait de la prison, annonça Socrate, et c'était la première fois qu'il le disait sans y être contraint. Quand j'suis parti là-bas, ma famille m'a oublié. Sauf ma mère, mais elle est morte presque tout de suite après...

— C'est mal, constata Oscar d'une voix sombre. Très mal.

— Oh, j'sais pas, répondit Socrate. (Il se sentait si bien qu'il aurait pu s'allonger sur le canapé et s'endormir instantanément.) J'étais un mauvais bougre, vraiment. Je blâme personne de pas avoir été fier d'être de mon sang.

— Mais vous êtes sorti, là, objecta Winifred. Vous avez payé votre dette et maintenant vous vous conduisez bien.

— Pour ça, j'suis sorti, mais même là-bas j'étais mauvais comme tout, vous savez. I'm'ont laissé sortir pasque bon, tout c'qu'j'avais fait, c'était de tuer des Noirs. I' pensent pas qu'un nègre mérite de passer toute une vie dans une prison de Blancs. Mais j'étais pas guéri, oh non. Toujours mauvais, toujours paumé. Vous voyez, ce qui va pas chez moi, c'est qu'j'ai jamais été certain de c'qui est bien ou pas. Vous m'comprenez ? Sûr et certain, j'veux dire...

Le couple l'observait en silence. Il était convaincu qu'ils n'avaient pas peur de lui.

— Mais vous avez changé, quand même ? objecta Oscar.

— Ouais, en venant à votre librairie. En écoutant Minty, et Roland, et Stanley Pete. En m'faisant raccompagner chez moi par le gros Bill, de temps à autre. Et en vous regardant faire, vous deux, tranquilles, laissant tout ça se passer. Comme si j'voyais le

198

monde avec vos yeux. Me forcer à sourire et à être brave avec les gens, même quand je sais qu'i'sont dans le faux. J'sais pas, mais rien qu'en vous regardant j'ai commencé à m'voir moi-même. Vous m'suivez ?

— Vous êtes un brave homme, monsieur Fortlow.

— Non.

Plus tard, alors qu'ils avaient partagé une tarte à la rhubarbe, Oscar reprit :

— Non, Socrate, vous vous trompez. Vous êtes un brave homme.

Winifred était partie se coucher. Sa poignée de main, quand elle lui avait dit bonsoir, avait été comme de saisir une pincée de plumes givrées dans un rêve.

— Pourquoi qu'vous dites ça, Oscar ?

— Parce que dans votre cœur vous savez qu'il y a du bien dans ce monde, malgré tout le mal que vous avez vu et que vous avez fait. Si vous venez à la librairie, si vous parlez avec tous ces gens, c'est parce que vous avez compris que le monde recèle du bien et que vous en voulez, vous aussi.

— De quel bien vous causez, là ?

— Un dessein, monsieur Fortlow. Un but. On est tous ici-bas pour une raison, voyez-vous. Dieu a un plan, et les hommes de bien veulent y trouver leur place. Et vous aussi.

— Un plan comme c'est écrit dans la Bible, vous voulez dire ?

— Non, pas comme dans un livre, pas comme dans une église, ou un temple, ou une mosquée. Vous me comprenez, pas vrai ? D'où est sortie la vie ? Quoi, une pierre qui atterrit dans la vase de je ne sais quel étang, et la foudre s'abat dessus, et une cellule visqueuse se transforme en larve, et ça donne une grenouille, et la grenouille saute tellement haut qu'elle en devient oiseau, et finalement un homme tombe du ciel ? Non ! Tout ça, c'est rien que de la science-fiction ! (Socrate comprit qu'Oscar Minette réfléchissait depuis belle lurette à son plan divin.) Ce qu'il y a, c'est un dessein, une direction dans laquelle va tout ce qui est doué de vie sur cette terre. Et il y a un panneau indicateur, un signe suprême, seulement il n'est pas donné à tout le monde de le voir. Vous, vous l'avez vu.

Et il sourit à son nouvel ami, un sourire plein d'attente et d'espoir.

Ils n'avaient pas eu de vin au dîner, et pourtant Socrate se sentait ivre. Il était tard dans la nuit. Il était assis en face de la première personne qu'il ait respectée depuis son enfance dans l'Indiana. Des chants d'église montaient dans son esprit, insistants, si prenants qu'il devait lutter pour ne pas les accompagner en battant la mesure avec sa tête.

Oui, la pièce paraissait se remplir de musique, une musique née de la manière dont leurs chaises étaient disposées, une musique produite par les moindres sons qui montaient de tout cet immeuble. Et pour la première fois en cinquante années d'existence Socrate avait envie de danser.

— Je..., commença-t-il avant de s'arrêter net. Je... J'y crois pas vraiment, messié Minette.

Le sourire d'Oscar s'effaça, laissant place à une tristesse résignée.

— Eh non ! s'enhardit Socrate. Vous croire, j'le voudrais bien. Et j'aimerais sûrement pas vous fâcher. Mais des plans, comme vous dites, y en a pas, oh non ! Des règles, ça, oui. Toutes sortes de règles et de lois. Et elles sont toujours faites pour que l'argent parte dans la poche des autres, pour que la nourriture parte dans le ventre des gosses des autres... Pourquoi je viens chez vous, à la librairie ? J'vais vous dire deux raisons, rien que deux. Une, c'est pasque j'vous aime bien, vous et Mme Minette. Vous êtes des gens bien, vous. Et la deuxième, c'est que j'veux apprendre à tourner les règles, tourner la loi. Vu qu'un nègre, dès qu'i' fait quèqu' chose pour lui, i' tourne la loi et c'est normal, vu que la loi, elle dit qu'un nègre c'est bon pour crever sans rien du tout... (Il marqua une pause.) C'est ça que j'ai appris en taule, moi. Vous savez bien que la prison, j'aurais pas dû y aller, moi. J'ai tué, violé, encore tué. Un bougre comme moi, i' fallait l'pendre, l'gazer et l'mettre sur la chaise électrique en plus ! Mais non, i'm'ont pas supprimé pasque j'étais le nègre qui suit toutes les règles et toutes les lois, hein ? J'ai assassiné les miens, j'me suis laissé prendre. Pour mon peuple, j'étais un chien enragé, mais ceusses qui font les lois, i' m'ont jeté un os et i' m'ont laissé la vie... C'est ça, tout l'tour qu'on m'a joué. Moi, j'croyais que j'savais ce que j'faisais mais non, j'étais juste au service de ceusses qui inventent les lois, qui fixent les règles. Et tuer les miens, c'était encore être dans les règles, présentement. Devenir un taulard, c'était juste c'qu'ils attendaient de moi, les autres...

Socrate voyait bien que son hôte avait cessé de l'écouter. Il se contentait de le regarder droit dans les yeux, et ce qu'il y découvrait, c'était un bateau qui s'était détaché de ses amarres et voguait, sans capitaine, droit vers une tempête au loin.

Mais il s'en fichait, de ne pas être compris. Il s'était lancé, il parlait, et il avait quelque chose à dire.

— Vous aussi, avec Winifred, vous tournez les règles, hé ! Vous avez créé cette librairie pour accueillir des hommes et des femmes noirs, pas pour amasser des profits, pas pour leur dicter c'qu'i' devraient penser. Vous m'avez invité à dîner, vous m'avez ouvert votre cœur. Mais c'est la révolution, mon frère ! C'est la rébellion contre la loi établie...

Il s'arrêta quelques secondes.

— Alors, mon ami, qui fait voler l'oiseau, j'en sais rien du tout. Mais qui l'fait caguer sur ma tête, ça j'le sais, et comment ! Je t'aime et j' te respecte, Oscar. Pasque c'est toi qui m'as montré la vérité.

4

Il avait pris congé peu après avoir achevé sa tirade. Serré la main parcheminée du vieil homme. Descendu Central Avenue, en route vers chez lui. En se souvenant de tout ce qu'il avait subi, et de tout ce qu'il avait fait subir aux autres, il sentait son cœur se gonfler dans sa poitrine. Tout était servi devant lui, comme sur la table d'un festin. Il pouvait prendre un souvenir, l'examiner, le reposer, en saisir un autre. Il était le maître de cérémonie. Ses jambes étaient à lui, et la rue pour y marcher.

Chaque bouffée d'air qu'il respirait lui appartenait, et chaque image s'inscrivant sur ses rétines.

— Hé, là-bas ! entendit-il crier sur sa gauche, une voix sèche et rude. Ouais, toi, c'est à toi que j'parle !

— Comment ? fit Socrate.

Lorsqu'il se retourna, les policiers étaient en train de surgir de leur voiture comme une armée de fourmis de leur trou.

Ils avaient tous les deux une matraque au poing.

Socrate aurait voulu que ses artères s'arrêtent de battre aussi fort, que le rire haineux qu'il avait dans la gorge s'éteigne.

— Sors tes mains de tes poches !

La première règle venait d'être édictée.

— Où tu vas comme ça ? demanda l'un des flics d'un ton peu engageant.

— J'marche, messié l'agent, c'est tout, répondit-il.

Il avait eu envie d'ajouter un gloussement amusé, mais il préféra s'en abstenir.

Les deux policiers s'approchèrent, gardant un bon mètre de distance après avoir jaugé sa taille et sa force. Ils savaient ce qui pouvait arriver à un flic qui s'approcherait trop du feu.

— Ça veut dire quoi, ça, bordel ? J't'ai posé une question, non ?

— Voyons un peu tes papiers, lança l'autre.

— I'sont dans ma poche, s'excusa Socrate.

L'un d'eux agita sa matraque comme s'il s'apprêtait à le frapper, mais Socrate ne broncha pas, ne chercha pas à se couvrir. Il attendait la règle numéro deux : la permission de replonger sa main dans sa poche.

— Fais pas le malin et montre un peu tes fafs, insista le policier.

Il n'avait que le document officiel établissant qu'il venait de passer vingt-sept ans derrière les barreaux.

— Hé, Simon, c'est un ancien du séchoir qu'on a là ! s'exclama l'un des flics.

— Et tu fabriques quoi dehors, en pleine nuit ? demanda son collègue.

Soudain il se retrouva avec un revolver pointé vers lui. Les yeux fixés sur l'arme, il garda le silence. Pas de « Rien, m'sieur », pas de « Allez vous faire mettre », pas de « J'rentrais chez moi, juste »...

Tandis que Simon le tenait en joue, l'autre fouilla rapidement ses poches. Il en sortit la clé du cadenas qui fermait la porte de l'ex-taulard, un petit couteau de poche muni de deux lames aiguisées comme des rasoirs, quatre dollars et vingt-huit cents, le tableau des heures d'ouverture de la déchetterie de South Central et un petit sachet de cacahuètes salées, à moitié entamé.

Simon se tenait plus près qu'il n'était prudent. Socrate se disait que s'il le frappait en premier, l'autre flic ne serait pas difficile à neutraliser, ensuite. Il se savait capable de tuer un homme d'un seul coup de poing.

— J'rentre chez moi, répéta-t-il, d'un ton qui ne suggérait ni une excuse ni une protestation.

— Et ce schlass, c'est pour quoi ? demanda Simon.

— Pour couper, répondit Socrate. Pour couper tout c'qu'i' faut couper.

« C+ », s'accorda-t-il en lui-même alors qu'il approchait de sa maison. À cette époque, il dormait encore sur trois tapis empilés. Il inscrivit la note sur un bout de papier. Depuis des années, il avait pris l'habitude de se noter chaque soir. Quand il marquait un « E », cela signifiait que quelqu'un avait eu à pâtir de ces mains, de ces battoirs qui pouvaient briser des pierres.

5

La petite galerie marchande de Canyon avait été ravagée par l'incendie que les émeutiers avaient allumé. Des livres étaient disséminés à travers tout le parking, la caisse enregistreuse gisait sur le trottoir. Socrate ne fréquentait plus la librairie depuis très longtemps. Après sa conversation avec Oscar, ce soir-là, il n'avait plus ressenti le même accueil qu'autrefois. Ils étaient tous aimables et polis, oui, mais la chaleur avait disparu. Il se contentait de passer à la boutique trois ou quatre fois par mois, juste pour dire bonjour.

Et puis, une fois, il s'était rendu compte qu'une année s'était écoulée depuis sa dernière visite.

Quelqu'un s'agitait au fond du magasin, derrière le comptoir noirci par les flammes. Le toit avait presque entièrement brûlé mais il restait encore des pans de plafond qui menaçaient de s'abattre à tout moment : il fallait être inconscient, ou cinglé, pour essayer de piller une librairie pratiquement détruite...

Pourtant, Socrate se risqua à l'intérieur, décidé à découvrir qui était l'intrus. Si c'était bien un pillard,

son carnet de notes personnel s'ornerait d'un autre
« E », le soir venu.

— Roland ? C'est toi, Roland ?

— Qui va là ? glapit le petit homme ventru.

Il paraissait frêle, fatigué. Il était devenu entièrement chauve.

— Hé, c'est moi, Socco ! Socrate. On s'est connus
ici, y a huit ans de ça.

— Ah... Oui. Oui, en effet. Celui qui n'arrêtait pas
de parler de bagarres, de violence, de vengeance...
Alors, vous voyez à quoi ça mène, maintenant ?

— Qu'est-ce qui s'est passé, Roland ? Où qu'i' sont,
Oscar, Winifred ?

— Elle est morte voilà trois ans déjà.

— Morte ? (D'un coup, la fumée douceâtre qui pla-
nait encore eut pour lui l'odeur des cadavres.) Morte
comment ?

— Crise cardiaque. Derrière sa caisse, en une
minute. Elle s'est effondrée et ça a été terminé. J'étais
là. On a rien pu faire, rien.

— Et Oscar, alors ?

— Alanna Hersey lui a téléphoné pour le prévenir
à propos du magasin. Une heure après, ou deux, paf,
lui aussi, le cœur s'arrête.

Le gros Bill était décédé. Une attaque, encore.
Minty avait été tué d'une balle de revolver, sans que
personne ait jamais su pour quelle raison. Roland
était atteint d'un cancer. Il venait de terminer une
chimiothérapie quand les émeutes avaient éclaté.

— Une « émeute » ? s'étonna-t-il alors qu'ils prenaient un petit déjeuner dans un McDo hors du cercle de feu qu'était devenu le quartier de South
Central. Je croyais que tu dirais une « révolte »,
comme tous ces gens-là prétendent...

— Et j'comprends pourquoi i' causent comme ça,

reconnut Socrate. Ça ressemble à une révolte, tiens, comme une mutinerie dans une prison : des bougres qui s'battent pour la liberté. Ça leur fait l'effet d'une révolution. Toujours. Mais tu vois, tu mets le feu à ta propre maison, en plein dans la gueule de l'ennemi, et tu fais que suivre ses règles à lui, tu fais exactement c'que lui attendait de toi. Oscar, c'était un rebelle, oui. Et que lui mette le feu à sa librairie, c'est juste ce que la flicaille espérait. Et tu vois, moi aussi j'ai senti pareil. J'voulais tout casser, tout brûler. Attaquer un fourgon de police au cocktail Molotov, leur piquer leurs flingues et descendre leurs hélicoptères. Seulement, ces satanés hélicos, i' seraient tombés en flammes sur les maisons de mon peuple, et le temps que j'me calme, une centaine de pauvres Blacks innocents auraient été cadavrés, hein.

Roland ne chercha pas à polémiquer avec lui. Ils devinrent de vrais amis, dans les derniers temps.

Une fois par semaine, Socrate lui rapportait des provisions du supermarché. Ensuite, il s'asseyait pour lire la Bible au mourant.

Ils n'arrivèrent pas à la fin de la Genèse.

Pour l'enterrement de Roland, Socrate écrivit un discours. Il ne le prononça pas, pourtant, car personne d'autre n'était présent. Mais il acheta une Bible et prit l'habitude de se rendre sur la tombe de son ami tous les sept ou huit jours. Là, il lisait à voix haute, une page à chaque fois.

Feu à volonté

1

Un mardi matin, Socrate rencontra Stony Wile à l'heure où ce dernier prenait sa pause-café chez Avon Imports.

— Ouais, Folger i'crèche à Compton, Winnant Terrace, lui dit Stony.

— Et i' connaît toujours un tas d'flics ?

— De quoi tu causes, là, Socco ?

— Quoi, de quoi j'cause ? J'te demandais si Folger i' connaît toujours des flics qui s'risquent dehors, c'est tout.

— On cause pas aux flics, hé, Socco ! (C'était un râblé, costaud, ancien soudeur des chantiers maritimes, cheveux poivre et sel, la peau d'un brun grisâtre.) On leur cause pas, point.

Stony jeta un coup d'œil dans le passage. Sur la plate-forme de chargement, son chef était en train de surveiller les deux amis.

— Bono, i'croit toujours qu'on est prêts pour la fauche dès qu'on s'voit par ici.

— Allez, donne-moi l'adresse de ton cousin, insista Socrate.

— D'accord, d'accord. Mais...

— Mais quoi ?

— Les embrouilles, c'est fini, pas vrai, Socco ?

— Embrouilles ? Tu veux dire quoi, là, mec ? Tu m'prends pour le genre à semer le merde ?

— Non, j'te prends très au sérieux, messié. Vachement au sérieux, même. Et j'veux pas que t'ailles trouver Folger si c'est pour t'embarquer dans une croisade ou j' sais pas trop quoi...

— J'm'embarque dans rien du tout, Stony. C'est juste que j'ai besoin de savoir quèqu' chose et que Folger, eh ben, i'pourrait m'aider, p'têt'...

2

— Quarante-deux ans, soupirait Folger Wile, assis sur son porche délabré aux côtés de Socrate. Quarante-deux balais et on m'jette dehors, comme ça. Même pas l'droit de repasser de temps à autre, histoire de bavarder un coup. Ah, y a trop de règles, trop de morveux à s'balader avec leur badge et leur flingue, c'est ça le problème. Et c'est pas comme ça qu'elle devrait fonctionner, la police.

Il avait soixante-sept ans, en paraissait quinze de plus. Plein de dents en moins, plus ridé qu'un poulet plumé, des yeux qui semblaient ne se fixer sur rien, jamais.

— Vous connaîtriez un bon flic à qui j'pourrais causer ? finit par risquer Socrate au bout d'une demi-heure de jérémiades sur les errements des services de police de Los Angeles.

Toute sa vie durant, Folger s'était voué à un travail routinier. Le départ à la retraite l'avait cassé. Sa pelouse était pelée, morte, la peinture bleue s'écaillait sur les murs de sa masure.

— Z'avez entendu, au sujet d'ces feux ? lui demanda Folger. Y en a encore eu un, hier soir.

Tout le monde ne parlait que de cela. Des incendies. Magasins désaffectés, maisons abandonnées...

— I' disent que l'type qu'est mort, c'était un squatter, continua-t-il avec une lueur jubilatoire dans ses yeux erratiques. Et la femme, c'était sa doudou. I' faisaient comme chez eux, papa-maman, comme si z'avaient un boulot et des traites à payer...

Les premières victimes d'une douzaine d'incendies criminels.

— Y en a qui disent, c'est les pompiers qui mettent le feu pour qu'les proprios blancs touchent l'assurance. (Folger ne demandait qu'à continuer sur sa lancée, dès lors qu'il sentait une présence près de lui, avec des oreilles, avec un peu de vie.) Moi-même, j'dis que c'est un coup des Coréens. Hé, i'veulent rafler toutes les piaules des Noirs, eux ! Comment qu'i' appellent ça, déjà ? Mais si, vous savez. « Invasion pacifique », qu'i' disent. Les Coréens, i'vont tout contrôler, bientôt. Les patrons coréens, avec leurs esclaves mexicains, et nous, les négros, allez, du balai !

— Ça j'en sais trop rien, Folger. Y en a des vraiment bien, chez ces Coréens. C'est juste leurs fichus magouilleurs qui veulent nous piquer tout c'qu'on a. Mais des magouilleurs, y en a de toutes les couleurs, pas vrai ? Même des Noirs...

Folger accueillit le piètre plaidoyer de Socrate par un reniflement méprisant. Il n'était pas prêt à se laisser convaincre, mais Socrate n'en faisait pas une maladie. Il était en train de penser à Ira Giles. Ira, qui avait cessé d'être un privilégié dès qu'il avait échoué dans une prison de l'Indiana.

Ils l'avaient puni de soixante jours au pain sec et à l'eau. Et le soixante et unième jour, ils lui avaient donné encore du pain sec et de l'eau. Histoire de blaguer.

Ira avait éventré son matelas, fourré une pochette d'allumettes dedans et mis le feu au tout. Quatre matons étaient arrivés pour éteindre l'incendie. Il en avait poignardé deux avant qu'ils aient eu le temps de dire ouf. Puis il avait égorgé le troisième. Mais le quatrième, Harvey Schott, avait réussi à le maîtriser.

Depuis ce jour là, Socrate s'était dit que le feu était un allié, un fidèle allié. Même s'ils avaient exécuté Ira qui, pour son ultime repas, avait demandé du pain sec et de l'eau...

— Non, vous vous leurrez, messié Fortlow.

— Hein, quoi ?

— C'est un complot, oui, y a pas à tortiller. Mais regardez-moi un peu, regardez-moi ! J'ai trimé toute ma vie, moi, et maintenant quoi ? Maintenant j'ai rien de rien ! Voilà, je touche huit cents dollars de retraite, et je dois casquer combien, combien ? Mille ! Alors vous me direz pas que les proprios s'en mettent pas plein les poches. Oh non, oh noooon ! Ça vient de très, très haut, toute cette merde. De trèèès haut ! Vous l'voyez bien vous aussi, présentement ?

— De très haut ou de très profond, messié Wile.

— Comment vous dites ?

— P'têt' que tout l'système là, l'est pourri jusqu'au cœur. Nous, eux, tout l'monde. P'têt' qu'on s'est fait refiler quèqu' chose d'avarié depuis le début, avec nous tous, et maintenant la seule solution c'est d'tout brûler, de fond en comble, comme toutes ces baraques-là qui flambent...

Folger dévisagea longuement Socrate, tout en se frottant la joue d'une main, de haut en bas, de bas en haut.

— Va falloir que j'aille à la sieste, annonça-t-il enfin.

— Parfaitement, parfaitement. Mais dites-moi, vous connaîtriez pas un flic à qui j'pourrais causer ? Un Noir qui sait qu'il est noir ?

3

Socrate passa l'après-midi à emballer des commandes et à effectuer des livraisons dans les quartiers ouest de Los Angeles et à Beverly Hills. C'était l'été, il faisait chaud dehors. Dans le supermarché, par contre, l'atmosphère ambiante était fraîche aux caisses, et franchement glaciale dans les rayons de produits réfrigérés.

Il était le plus âgé de tous les employés du Bounty. Son allure peu commode et sa force hors du commun faisaient le ravissement des jeunes Noires qui passaient leur œil électrique sur les codes-barres, et curieusement les dames blanches de la clientèle insistaient pour que ce soit lui, plutôt que ses collègues moins vieux, qui leur livre leurs commandes.

Ce jour-là, il travailla particulièrement dur, ajoutant à ses occupations le déchargement d'un gros semi de conserves sorties de chez General Foods. Il sortait les lourdes caisses en carton à une telle cadence que les jeunes avaient du mal à suivre.

— Hé, Socco, finit par protester Bruce Tynan, ralentis un peu, oh !

Les autres garçons s'étaient esquivés pendant la pause et n'avaient plus réapparu.

Vedette de l'équipe de football de son lycée à Beverly Hills, Bruce était un Blanc, certes, mais aussi un type droit, que Socrate appréciait beaucoup. Son père, un riche chirurgien qui possédait sa propre clinique, détestait l'idée que son fils travaille dans un magasin. Mais Bruce, qui voulait gagner son argent à la sueur de son front, n'avait pas écouté son paternel.

— Okay, mon grand, j'te laisse souffler un peu en touche !

Sautant du camion, Socrate vint s'asseoir sur un tas

de caisses. Bruce essayait de dissimuler qu'il était hors d'haleine, ce qui le fit sourire.

Il attendit le temps que l'adolescent reprenne son souffle.

— Hé, Bruce ?

— Ouais ?

— Si tu savais qu'un type a tué deux personnes, ou si tu l'devinais, tu f'rais quoi ?

Bruce rougit et détourna son regard en direction de la porte du hangar.

— Hmmm, quoi ? grommela-t-il.

— Tu m'as entendu.

— J'irais chez les flics, pour leur dire.

— Mais si... mais s'il avait pas fait exprès, le type ?

— Alors le tribunal le reconnaîtrait innocent.

— Non, non. C'était bien une erreur, mais il avait quand même fait quèqu' chose de mal. Ils l'enverraient sur la chaise pareil.

Socrate observa le fils de médecin en train d'essayer de résoudre le problème qui lui était posé. Au bout d'un instant, Bruce risqua :

— Est-ce que... est-ce qu'il le referait ?

— Quoi ?

— Ce qu'il a fait pour que ces gens perdent la vie.

Socrate se leva, empilant dans ses bras deux caisses de salade de fruits en boîte.

— J'en sais trop rien. C'est un article que j'ai vu dans un canard, c'est tout. Allez, viens, reprenons un peu c'boulot-là.

4

Le bar-snack Chez Denther était un café de flics sur Normandie Street. Des fenêtres en bois, des stores à l'ancienne, un néon qui proclamait en cursives bleues « Café » et « Ouvert » en rouge. L'endroit n'était fréquenté que par des policiers et par les femmes qui avaient envie d'en connaître. On pouvait fumer, se détendre en toute tranquillité : entre flics, n'est-ce pas ?

Personne ne se serait risqué à chiper quoi que ce soit chez Denther. Personne ne se souciait de règlement de l'établissement, ou d'heure de fermeture légale. Drogue ou sexe, personne n'y trouvait à redire.

Le juke-box était gratuit. Trois jeunes serveuses s'occupaient des clients, en pantalons collants et cuissardes en Skaï : une Blanche, une Noire et une Hispano.

Chez Denther, c'était le paradis des cognes. En tout cas, c'est ce que Folger affirmait.

Socrate fit son entrée à neuf heures et demie tapantes. Il portait encore le tee-shirt bleu et vert de chez Bounty, mais cela n'aurait pas suffi à abuser cette assistance policière. Le juke-box crachait de la disco. À son apparition toutes les conversations s'interrompirent, ou presque.

Socrate se fraya un chemin parmi la foule masculine, compacte. Certains firent mine de ne pas s'effacer devant lui mais avec sa carrure il sut s'imposer sans avoir besoin de bousculer qui que ce soit et donc de risquer de déclencher une bagarre.

Parvenu au bar, il demanda :

— Kenneth Shreve, l'est là ?

Le barman, un petit fluet, ne répondant pas, Socrate répéta sa question.

— Qu'est-ce qu'vous voulez ? intervint un Blanc assis sur un tabouret.

— Kenneth Shreve, je veux.

— À propos d'quoi ?

— Vous êtes sa maman, hé ? interrogea Socrate d'un ton qui aurait pu sembler amusé.

— Tu devrais faire gaffe à c'que tu dis, esp...

L'insulte resta suspendue à la menace du Blanc.

213

Chez Denther, il n'y avait pas de distinction de races, la clientèle était mélangée. À moins d'en être un soi-même, il n'était pas possible de traiter quelqu'un de négro.

Le Blanc s'était retenu d'employer le mot, mais il était prêt à se servir de ses poings.

Socrate se demanda pourquoi il n'avait pas peur.

— Vous savez où j'peux le trouver, Kenneth Shreve ? insista-t-il.

— Je suis là, coupa un Black de haute stature qui venait de surgir derrière lui.

Il fit face au nouveau venu.

— C'est Folger Wile qui m'envoie.

Shreve était aussi carré qu'il était grand. Il aurait pu facilement prendre sur ses épaules les cent vingt kilos que pesait Socrate. Ses mains étaient petites, certes, mais celles de Joe Louis[1] l'étaient également, Socrate s'en souvenait.

— Qu'est-ce qu'i'veut, ce vieux fou-là ?

Si Kenneth avait immédiatement perçu le long passé criminel que Socrate portait comme son ombre, il n'y prêta aucune attention.

— I' veut qu'i' retardent l'âge de la retraite dans les commissariats, histoire qu'i' puisse encore s'occuper.

Sa réponse arracha un rire bref à Shreve.

— Venez, on va aller s'asseoir par là.

Autour de la table flanquée de deux banquettes qu'ils rejoignirent, trois flics blacks et deux Noires étaient déjà installés. L'une d'elles avait chacune de ses mains passée entre les cuisses des deux hommes qui l'entouraient et ne cessait de les observer, ses

---

1. Boxeur américain (1914-1981) qui conserva douze ans d'affilée, de 1937 à 1949, le titre de champion poids lourd au cours de vingt-cinq combats, un record (*NdT*).

grands yeux écarquillés passant de l'un à l'autre. Eux, ils se dévisageaient mutuellement, sans mot dire.

La seule apparition du sergent Shreve mit fin à cette scène. Il lui suffit d'approcher pour que les policiers congédient sans ménagement les deux jeunes femmes.

— Hé ! protesta l'une d'elles, qu'est-ce qui va pas ?

Mais déjà ils occupaient les places libérées et le barman, toujours muet, posait des bières devant eux. Socrate avala la sienne d'un trait.

— Vous vous appelez comment ?

— Socrate Fortlow.

Après avoir donné son nom, l'ancien taulard s'aperçut qu'il ne pouvait plus desserrer les dents. Il aurait voulu se mettre à parler mais il en était incapable.

— Alors, reprit Shreve, i'veut quoi, Shorty ?

— Euh... Pardon ?

— Shorty. C'est comme ça qu'on l'appelait, nous, Folger.

— Ah...

Socrate laissa son regard se perdre dans la taverne aussi bondée qu'enfumée. Devinant ses pensées, Shreve fit signe au barman de lui apporter une autre bière.

— Écoute, mec, j'ai pas tout mon temps, moi. Alors si t'as quèqu' chose pour moi d'la part de Shorty, vas-y, raconte.

Socrate ne détacha pas son regard de lui jusqu'à ce que le verre soit devant lui. Le sergent aurait voulu bouger et cependant il resta immobile. Socrate se dit qu'il avait compris, d'une manière ou d'une autre, qu'il n'y avait rien de plus important ici que ce qu'il s'apprêtait à lui dire.

— J'ai fait d'la taule, annonça-t-il après avoir englouti sa seconde bière.

— À cause de quoi ?

215

Le visage du policier s'était fermé. À son tour, il ne quittait plus Socrate des yeux.

— Meurtre.

Shreve fit un rapide signe de tête, signifiant qu'il prévoyait cette réponse.

— Ce qui te lie à Folger, c'est quoi ?

— J' le connais pour ainsi dire pas. C'est son cousin que j' connais.

— Bon, et moi, qu'est-ce que tu m'veux ?

— J'te veux rien, mec ! Hé, merde, j'suis un ancien d'la taule, j'suis pratiquement né dans une cellule, alors tu sais bien : les flics, j'leur cause pas.

Un sourire mauvais apparut sur le visage brun sombre de Shreve. Des cicatrices et des petites coupures parsemaient son front, son cou, ses joues.

— Fais pas l'con avec moi, négro.

— J'dis seulement que j'ai pas l'habitude de causer aux flics, c'est tout. C'est pas évident de m'retrouver ici, pour moi.

— Eh ben tu m' verras ici et pas ailleurs, déclara Shreve. À moins que t'aies envie de repartir au trou.

— Ça me fait pas peur. Rien peut m'arriver de pire que c'que j'ai déjà connu. Rien.

— Alors tu veux quoi, mec ?

— Là-bas, en taule, on causait pas aux gardiens. Si tu t'faisais choper en train d' le faire, y avait un schlass qui t'attendait, sûr.

— Tu veux me dire quèqu' chose mais t'as la trouille, c'est ça ? voulut savoir Shreve.

— J'suis bien au-delà de la trouille. Bien au-delà. C'est moi qui fixe les règles et jamais j'les ai tournées, jamais.

— Mais maintenant c'est ce que tu vas faire ?

Shreve fit signe au barman et commanda deux bières, cette fois.

— Ça pouvait arriver qu'on en vienne à connaître un maton moins salaud qu'les autres, remarqua

216

Socrate. J'veux dire, i'pouvait vous rendre des services, tu m'suis ?

Quand les verres furent sur la table, Shreve les poussa devant l'ancien prisonnier. Socrate les vida tous les deux en moins d'une minute.

— Tu veux quèqu' chose ? demanda le sergent.

— Ouais.

Socrate ressentait un vide agréable dans sa tête. Ces quatre bières n'auraient pas suffi à le saouler, évidemment, mais il avait oublié de manger, ce jour-là.

— J'veux pas ton argent, mec. C'est pas ça que j'veux. C'que je veux, c'est toi.

— Hein ?

5

— « Tant qu'on n'a pas été jugé coupable, on est innocent », récita Socrate. Tu y crois, à ça ?

— Si tu commets un crime, t'es coupable, point... (Shreve prit sa respiration, jetant un regard furtif par-dessus une épaule, puis l'autre.) Sinon, t'es innocent. Voilà c'que j'crois, moi.

— Mais d'après la loi un homme est présumé innocent tant qu'il n'a pas été jugé par un groupe représentatif de ses semblables. J'ai appris ça en prison, moi. Là-bas, tout le monde était coupable ; tous pareils, qu'i' z'aient commis un crime ou pas. Coupables pasqu'un « groupe représentatif de leurs semblables » avait dit comme ça.

— Hé, Kenny !

Un Noir, très ivre, s'était approché de leur table. Il était soutenu par deux jeunes femmes, une sous chaque bras. Le décolleté de l'une était si profond que Socrate distinguait le haut de ses tétons. Remarquant son regard, elle sourit et s'arrangea pour en révéler encore plus.

— Kenny ! cria le type. Viens, on va là-haut !

Du menton, il désigna la porte de service et accompagna sa mimique d'un clin d'œil.

Shreve contempla la porte, puis la fille dépoitraillée.

— Avance, dit il, j'arrive dans un moment.

— Oooooh ! gémirent les deux filles de concert.

Lorsque le groupe fut reparti, le sergent se tourna vers Socrate.

— Tu ferais mieux d'abréger ces salades et d' me dire ce que t'as à dire, mon frère.

— J'disais juste : est ce que tu crois qu'on est innocent...

— Qui, on ? l'interrompit Shreve. Qui, on ? De quoi qu'tu causes, là, bordel ?

Les mâchoires de Socrate se refermèrent. Il avait mal aux dents, à force de les serrer.

— Allez, Fortlow, parle, quoi !

— Les feux, chuchota Socrate.

— Hein, quoi ?

— Les feux. Les incendies. (Shreve s'immobilisa, tel un chat à l'affût.) Ces feux, là...

Et puis le fond de sa gorge s'affaissa, entraînant avec lui tous les mots qu'il aurait voulu prononcer.

— Les incendies de Watts ?

Il pouvait encore hocher la tête.

— Tu sais qui c'est qui les allume, c'est ça ?

— Je sais rien de sûr. On est innocent tant qu'on est pas coupable, vrai ? Innocent...

Shreve se laissa aller contre le dossier de sa chaise. Il frotta son visage abîmé de ses deux mains.

— C'est pour la récompense, hein ?

— Quelle récompense ?

— Allez, allez, vieux ! Tu vas pas m'raconter des sornettes à moi ! Ils l'ont annoncé ce matin sur toutes les radios : quinze mille dollars pour toute information permettant d'appréhender ceux qui...

218

Socrate avait bondi sur ses pieds avant que le sergent ait pu terminer sa phrase. Il fonça vers la porte, sans s'excuser, sans éviter de bousculer les gens sur son passage. Pas le temps.

Une fois dehors, il partit à grandes enjambées.

— Oh non ! se jurait-il en lui-même. I' vont pas m'attraper avec ça, oh que non !

— Fortlow !

— Oh non, oh que non !

— Fortlow ! Stop !

L'ordre atteignit un point de son cerveau qui appartenait toujours à l'univers carcéral et qui obligea ses jambes à s'arrêter net.

— Qu'est-ce qui t'prend, mec ? s'exclama Shreve en arrivant à sa hauteur, hors d'haleine. Ça fait trois bornes que j'te gueule après !

Socrate se contenta de secouer la tête, obstiné, enfermé dans son refus.

— Qu'est-ce qui t'prend ? répéta le sergent.

— Non, fit Socrate, comme si ce seul mot répondait à toutes les questions que l'autre pourrait lui poser.

La rue du centre-ville était vide, à l'exception d'une rangée de sans-abri, hommes et femmes, affalés contre un mur sur l'autre trottoir. Aux carrefours, les feux continuaient à changer sans qu'une seule voiture se présente pour leur prêter attention.

— Non quoi ? Donc, celui qui met le feu à South Central, tu sais qui c'est ?

— Tu peux pas m'acheter, mec. J'suis pas ton esclave.

— Ce fric, j'en veux pas, Fortlow. Tu peux te l'garder. Tout ce que j'veux, moi, c'est ce macaque. Hé, il est en train de tuer des bougres, là ! C'est pour ça que t'es venu me trouver, pas vrai ? Tu veux pas balancer un mec pasque t'es passé par la taule mais tu veux pas que ça continue comme ça non plus.

Les flammes qui dansaient dans l'esprit de Socrate semblèrent soudain envahir la rue obscure. Comme le brasier qu'Ira Giles avait allumé et qui lui léchait le dos tandis qu'il brandissait son couteau improvisé. « Un putain de diable sorti tout droit des feux de l'enfer », avait dit un gars de son bloc. Ils avaient éclaté de rire à l'unisson, avaient craché par terre et étaient convenus que les matons ne pouvaient que s'en prendre à eux-mêmes d'avoir infligé à Ira un jour supplémentaire au pain sec et à l'eau. Ils avaient récolté ce qu'ils méritaient. Quand on pousse un homme à bout, ou on morfle... ou on le tue.

— Viens au bureau, Fortlow. Viens, on va prendre la déposition.

— Minute, exigea Socrate. Minute.

— Quoi ?

— Il est innocent, exact ?

— S'il l'est tant que ça, pourquoi que t'es venu me trouver, alors ?

— Je veux qu'il soit traité comme un homme, sergent. J'attends que toi... (il enfonça son doigt tendu dans le torse de Shreve) que toi, tu me promettes que tu seras là et que tu feras en sorte qu'il soit traité comme un être humain. Je veux pas qu'on le frappe, ou qu'on l'insulte, ou qu'on lui joue des tours. Folger m'a dit que toi, tu t'comportes bien avec les Noirs, avec les Blancs, avec tout le monde. J'veux que ce bougre soit traité comme ça ; autrement, Dieu m'est témoin, j'serai bientôt dans toute la ville à foutre le feu tout juste comme lui.

Shreve posa une main sur son plexus endolori.

— Je s'rai là, tu peux me croire. Et i' s'ra aussi bien traité que je peux le garantir.

6

Dans un bureau du QG de la police, Socrate raconta enfin son histoire au sergent Shreve après avoir signé une déclaration stipulant qu'il aidait à la recherche de l'incendiaire de South Central.

Il n'y avait pas grand-chose à raconter.

Socrate avait aperçu Ira Giles derrière les barreaux de sa cellule le lendemain du jour où il avait poignardé les gardiens. Il avait été battu, sauvagement, le feu avait brûlé la peau sur son bras droit, et pourtant il arborait un large sourire. Dans son visage trempé de sueur, ses yeux étaient assez grands pour faire détaler une bête sauvage de sa tanière. Il bredouillait des lambeaux de phrases, riait aux éclats, il aurait dansé si les matons n'étaient pas revenus le cogner et l'obliger à se tenir tranquille.

Le soir du dernier incendie, celui qui avait tué, Socrate était dehors. Il avait entendu les sirènes des pompiers, respiré la fumée. Le Noir presque obèse qui arrivait vers lui en se dandinant n'avait pas remarqué l'ancien taulard. Il était trop plongé dans sa petite fête personnelle, ses jambes pataudes s'agitant sous son bleu de travail.

— D'abord, ç'a été l'odeur, raconta Socrate à Shreve, et ensuite cette façon qu'il avait d'causer dans sa tête, des mots qui voulaient rien dire. Il était tout en nage, aussi, mais c'est à cause qu'il dansait, c'est pasqu'il dansait comme ça que j'ai décidé d'le suivre jusque chez lui.

— Et c'est tout ? s'étonna Andrew Collins, celui qui doublait Shreve dans leur cellule d'enquête. C'est pour ça que vous nous avez fait venir ici ?

Socrate leur expliqua qu'il avait attendu devant la maison de Ponzelle Richmond, guettant sa sortie.

— Alors je mate par sa fenêtre et j'vois des bidons

d'essence, avec tout plein de bouteilles et d'chiffons autour.

Il ne leur parla pas de la serrure de la porte de Richmond, qu'il avait forcée. Ni du journal qu'il avait découvert.

— Allons jeter un coup d'œil, Andy, lança Shreve à son partenaire blanc qui gardait les sourcils froncés. On va reprendre contact avec vous, monsieur Fortlow.

7

— J'ai essayé d'leur causer, quoi, expliqua Socrate à Stony Wile quand tout fut terminé. J'me suis dit que bon, p'têt'que j'pourrais changer quèqu' chose, moi. Tu comprends, par exemple dire que j'aiderais pas tant qu'i' promettraient pas de la jouer honnête ?

— Mais i' l'ont jouée honnête, Socco, protesta Stony.

Ils étaient chez Socrate un lundi après-midi, chacun buvant au goulot de sa bouteille de Cold Duck, un mélange détonant de vin rouge et de mauvais champagne. Stony avait perdu son emploi chez Avon Imports. Licenciement économique.

— Qu'est-ce qu'i' pouvaient faire quand le bougre les a vus s'pointer et s'est tiré une balle dans la calebasse ? Hé, tu peux pas tout mettre sur l'dos des flics, quand même !

Socrate avala une gorgée. Il avait envie de frapper Stony mais il se retint.

Après, ils burent en silence un long moment.

Puis ils burent encore.

— Socco ?

— Ouais ?

— Et l'argent, alors ?

— Quel argent ?

— La récompense, tiens ! Je sais bien qu'i' claironnent pas le nom d'leurs informateurs, mais puisque tu leur as donné Ponzelle, t'as bien dû recevoir quèqu' chose ?

— Ces cognes-là i' z'ont tout gardé à part quèqu' billets de cent, déclara Socrate. Le premier bifton m'a servi à acheter ces bouteilles que t'es en train d'm'aider à vider, présentement.

Il craqua une allumette, puis sortit un billet de cent dollars de sa poche, auquel il entreprit de mettre le feu.

— Tu l'veux ?

Stony lui arracha le billet, éteignant les flammes sous ses gros doigts de travailleur manuel.

— Mais t'es pas dingue, toi ! C'est cent dollars, là !

— I' sont à toi, Stony. C'est ta part pour avoir aidé à tuer Ponzelle. Tu vois, t'avais qu'à tendre la main pour l'avoir.

8

Dans la nuit, il se réveilla en pensant aux cent quarante-sept billets de cent qui étaient enterrés dans son jardinet. Gisant à un mètre sous terre, dans un sac en plastique, en compagnie du journal du pyromane.

La police avait trouvé chez lui des cartes, des coupures de presse, des notes et tout un attirail qui avaient suffi à prouver que Ponzelle était bien celui qu'ils recherchaient. Mais c'était Socrate qui détenait son journal.

Il en connaissait un passage par cœur : « ... Si je pouvais seulement leur faire comprendre que nous devons brûler tout ce gâchis que nous avons empilé et bousillé et magouillé autour de nous ! S'ils pouvaient seulement entrevoir le brasier du renouveau, les flammes autour de leurs yeux ! On pourrait se retrouver ensemble dans le feu et dans l'acier et dans le sang et dans l'amour et y fonder notre demeure. Une maison, pas toute cette merde, pas ce monde de télé et d'église, pas cette jungle de culottes sales et de cartes de Noël, pas ce rôti du dimanche et mamie qu'est morte, la pauvre, et qui peut même plus en manger un morceau... »

Le chien noir

1

— Il plaide quoi, votre client, mademoiselle Marsh ? demanda le juge au visage en lame de rasoir.

Il portait une veste noire, trop grande d'au moins une taille ou deux pour son torse d'oiseau.

— Innocent, Votre Honneur, répondit la jeune avocate noire en élevant ses doigts pressés les uns contre les autres.

Quand elle parlait, tout s'activait dans sa bouche, lèvres, langue, dents.

— Très bien. (L'attention du juge fut distraite par quelque chose sur sa table.) La caution est fixée à...

— Votre Honneur, interrompit le procureur, un petit homme grassouillet qui avait la couleur d'une tasse de café avec trop de lait dedans. Avant que vous ne décidiez de la caution, le ministère public voudrait souligner que M. Fortlow ici présent a un lourd casier judiciaire. En 1960, dans l'Indiana, il a été condamné pour double meurtre à la réclusion perpétuelle, et il a purgé près de trente ans de prison dans cet État.

— Vingt-sept ans, Votre Honneur, articula Brenda Marsh.

« Tu parles d'un honneur ! » pensa Socrate. Un rire sec lui échappa.

— Et au cours de ces huit dernières années il a vécu respectablement ici, à Los Angeles, poursuivit l'avocate. Il est employé à plein temps par la chaîne de supermarchés Bounty et il n'a pas troublé l'ordre public une seule autre fois.

— Mais, Votre Honneur, insista le Noir trapu, M. Fortlow est actuellement inculpé d'un délit avec usage de violence !

— Et il n'a pas été reconnu coupable, compléta Mlle Marsh.

— Peu importe, trancha le procureur anonyme.

Le juge Felix Fisk leva les yeux de ce qui l'avait tant captivé sous son buvard. Socrate se dit que ce devait être un magazine illustré, un journal de yachting probablement. De son passage en prison, il avait appris que nombre de magistrats s'enrichissent en faisant payer les criminels.

— D'accord, soupira-t-il, d'accord. Voyons un peu...

Il tâtonna à la recherche de quelques feuilles de papier, chaussa la paire de lunettes qu'il avait relevée sur son crâne, se pencha sur les lignes devant lui puis releva la tête pour dévisager l'herculéen prévenu.

— Eh bien, eh bien..., chuchota-t-il d'un ton chaviré.

Socrate sentait des poils pousser dans sa gorge.

— La partie civile voudrait que M. Fortlow soit détenu sans caution, Votre Honneur, annonça le rondouillard.

— Votre Honneur, protesta l'avocate, dont le ton suppliant cadrait mal avec une élocution étudiée jusqu'à l'affectation. Huit ans, je l'ai rappelé ! Et il n'y a pas eu de blessure grave !

— Mais il y a eu intention et c'est assez pour la loi, rétorqua le procureur.

— La caution est fixée à vingt-cinq mille dollars, proclama le juge.

Un gardien métis qui attendait à côté de Socrate saisit le prisonnier par son bras musculeux :

— Allez, on y va.

En se tournant, Socrate aperçut Dolly Straight au fond de la petite salle d'audience. Une expression suffoquée se lisait sur son visage de rouquine, constellé de taches de rousseur. Lorsque ses yeux rencontrèrent ceux de Socrate, elle sourit et lui fit un signe.

Puis elle se précipita dehors, sa main toujours levée en l'air.

2

La nuit précédente, comme il n'y avait plus de place à la prison du district ouest, ils l'avaient enfermé à double tour dans un bureau. Mais il se trouvait maintenant au tribunal principal de la ville et donc il échoua dans une cellule, au sous-sol, déjà envahie par plus d'une douzaine de prisonniers. La plupart étaient tatoués, l'un d'eux présentait des cicatrices si terribles qu'il avait bien pu être arrêté et jeté derrière les barreaux sur sa seule apparence.

Des jeunes, en grande majorité, noirs ou hispanos. Mais il y avait deux Blancs réfugiés dans un coin et Socrate se demanda ce qu'ils avaient pu faire pour échouer dans un endroit aussi hostile, aussi dangereux.

— Salut, frère, lui dit un barbu à qui il manquait un œil.

Socrate répondit d'un hochement de tête.

— Hé, l'nègre là, t'as perdu ta langue ? lança un grand Black au visage poupin qui se tenait près du borgne.

Socrate ne répondit pas. Il passa devant eux pour aller s'asseoir sur le banc, à un des rares endroits libres, près d'un Mexicain aux traits figés.

— L'nègre ! répéta l'autre en posant une main aucunement amicale sur l'épaule de Socrate.

Et là, il hésita. Socrate savait qu'il avait senti toute la force que contenait cette vieille carcasse. Profitant de ce court instant, il lança sa main gauche pour saisir le jeune type à la gorge. Celui-ci lui envoya un coup de poing que Socrate para du bras droit tout en resserrant sa prise.

Les yeux hors de la tête, le garçon tomba à genoux devant Socrate au moment où ce dernier se levait. Il tenta de se libérer de ses doigts, puis s'agrippa désespérément à son avant-bras, essayant de le repousser.

Les hommes, tout autour, le regardaient mourir.

Des bruits sortaient de sa bouche déformée, comme des branchages en train de se casser.

Ses yeux affolés d'agonisant allaient d'un prisonnier à l'autre mais personne ne fit mine de lui venir en aide.

Quelques secondes avant qu'il ne s'évanouisse, et pas plus d'un quart de minute avant qu'il ne perde la vie, Socrate le lâcha.

En cherchant de l'air, le garçon produisit un son si brutal, si rauque, qu'un gardien s'approcha de la porte pour voir ce qui se passait.

Certains prisonniers étaient hilares.

— Qu'est-ce que vous fabriquez ? demanda le maton.

— C'est juste qu'je montrais un tour à ce 'ti-là, expliqua le grand Black borgne.

Le gardien inspecta la forme agenouillée.

— Tout va bien, Peters ?

Peters n'avait plus de voix, mais il arriva à hocher la tête.

— Bon. Et maintenant, arrêtez un peu ce chahut, là-dedans.

Socrate reprit sa place sur le banc. Cela n'avait pas été un combat, non, un simple rite d'initiation. Désormais, chaque occupant de la cellule savait qu'on ne prenait pas Socrate Fortlow à la légère.

— Fortlow ? appela le même gardien environ quarante-cinq minutes plus tard.

— Hummm ?

— Socrate Fortlow ?

— Oui, c'est moi.

En si peu de temps, le sentiment de liberté l'avait déjà quitté, le laissant vidé jusqu'aux os. Il avait évalué chacun des hommes enfermés avec lui, il avait assisté à la raclée que l'un des Blancs avait reçue tandis que son compagnon faisait le dos rond, et il avait conclu en lui-même qu'au cas où ils resteraient emprisonnés ensemble, il aurait à se confronter au Noir à la barbe, qui répondait au nom de Benny Hite.

Hite était un meneur, et il attendait donc que chacun baisse la tête devant lui. Mais Socrate, lui, n'était prêt à se soumettre à personne : ainsi, le sang allait devoir couler avant que le sommeil ne puisse venir.

— Viens avec moi, dit le gardien.

Deux solides policiers l'accompagnaient.

3

— 'Jour, monsieur Fortlow, lança Dolly Straight, dont le teint était pâle sous une myriade de taches rousses et orangées. Voilà, j'ai payé votre caution.

Ils lui avaient rendu ses vêtements de ville mais son bref séjour dans la cellule avait suffi : poux et morpions l'obligeaient déjà à se gratter.

— Vous faites quoi, là ? demanda-t-il à la jeune femme quand ils sortirent du tribunal.

— Je suis en stationnement interdit au bout de la rue, annonça-t-elle en descendant les marches d'un pas pressé. Je n'aurais jamais cru que ça prendrait si longtemps, de leur donner l'argent et de vous faire sortir.

Socrate voulait tenter de poser encore sa question (« Pourquoi ? »), mais Dolly se hâtait devant lui. Sans se retourner, elle déclara :

— J'espère que la fourrière n'est pas passée !

C'était un vieux pick-up des années cinquante, un Dodge bleu ciel avec une cage à animaux sanglée au milieu de la plate-forme.

— Allez, venez, fit-elle en arrachant la contravention glissée sous son essuie-glace. Montez !

— C'est quoi, toute cette histoire ? demanda Socrate alors qu'ils s'éloignaient du centre-ville.

— J'ai payé votre caution, c'est tout.

Elle était rousse, un visage simple et lisse, des yeux verts pétillants. Un éventail de rides minuscules partait de ses yeux, pourtant elle ne devait pas avoir plus de quarante ans.

— Pourquoi ?

— Mais à cause de Bruno ! répondit-elle comme si c'était l'évidence même.

— Qui c'est, ça ?

— Le chien. Je l'ai appelé Bruno. Parce que bon, on peut pas s'occuper de quelqu'un s'il n'a pas de nom, hein ? La plupart des vétos, les bons, ils donnent un nom à leurs patients s'ils ne l'obtiennent pas de leurs maîtres.

— Ah...

Il se demandait que faire de cette libération inattendue. Quand on avait passé autant d'années que lui en prison, on avait parfois envie de se retrouver à nouveau derrière les barreaux. Oui, cela arrivait à certains. Ils aimaient l'ordre qui régnait là-bas...

— Plutôt crever, prononça Socrate.

— Pardon ?

— Pourquoi qu'vous m'avez sorti du trou ?

— Parce que. Parce que ce que vous avez fait, c'était à cause du chien, je le sais. Il était pratiquement mort quand vous me l'avez amené. Et quand la police a débarqué pour vous arrêter, je suis devenue dingue, positivement. Mais quoi, ils se croient tout permis, eux !

Il ne cherchait pas la bagarre, ce jour-là. Il était allé aider à l'inventaire du supermarché, qui avait commencé à quatre heures du matin. Après avoir travaillé douze heures d'affilée, il était vanné. Sur le trottoir, un gros chien noir s'était approché. Il rôdait à la recherche de nourriture, Socrate lui avait dit : « Dégage. » Soudain, le chien était parti sur la chaussée. Une Nissan qui arrivait très vite l'avait touché de plein fouet. Le conducteur n'avait même pas essayé de freiner. Il s'était arrêté bien après.

Socrate était déjà auprès de l'animal quand l'automobiliste, un Blanc, avait fait marche arrière et s'était garé. Le malheureux chien agitait ses pattes de devant, essayant en vain de se remettre debout. Il gémissait de douleur, l'arrière-train fracturé.

Il avait voulu apporter quelque secours, rien de plus. Pour lui, si le Blanc avait eu le nez cassé, c'était de sa faute, point.

— Et comment vous sauriez pourquoi j'ai fait ça ?

— Mais parce que je suis allée là où vous m'aviez dit que l'accident avait eu lieu. Je voulais retrouver le propriétaire de Bruno, s'il se trouvait dans le coin. J'ai pensé que j'allais devoir l'endormir mais je n'ai pas voulu faire la piqûre tant que je n'avais pas parlé à son maître. (Elle se tut un instant.) Seulement, ce maître, il n'en avait pas, Bruno. Un chien errant, le pauvre. Mais j'ai rencontré une vieille dame qui avait tout vu. Et c'est ce que j'ai raconté à votre avocate. Vous voyez, je ne sais pas si Mlle Marsh se serait déplacée jusque là-bas, mais moi je lui ai dit ce que Mme Galesky m'avait rapporté, et alors elle m'a expliqué comment je pouvais verser la caution pour vous. Euh, je ne suis pas certaine que j'aimerais l'avoir comme avocate, monsieur Fortlow.

— Pourquoi ça ?

— Elle a cherché à me dire que vous aviez un passé criminel, et que c'était une sale affaire, et que vous auriez mieux fait de disparaître. Et ça après que je l'ai assurée que vous étiez innocent même ! Je croyais que vous, les Noirs, vous vous entraidiez toujours, non ?

— Ce chien, i'va vivre ?

Les traits de Dolly se durcirent et Socrate découvrit qu'il aimait bien cette fille, en dépit de sa jeunesse et de sa race.

— Je ne sais pas... Il a les deux pattes cassées, et une hanche aussi. Même sur une hanche humaine aussi abîmée, je ne crois pas qu'ils seraient capables de réussir une intervention. Pour le reste, tout a l'air bien. Il n'y a pas d'hémorragie interne. Mais ses pattes de derrière, il ne pourra plus jamais s'en servir.

Ils continuèrent jusqu'à la clinique vétérinaire de Dolly, sur Robertson, près d'Olympic Boulevard.

4

C'était un gros mastard, au moins trente kilos mais pas un pouce de graisse. Il était dans une cage, inconscient, sur la table d'examen de Dolly.

— Je lui ai donné un tranquillisant, expliqua-t-elle. Je n'aime pas faire ça, d'habitude, mais il souffrait tellement... Et ses gémissements effrayaient mes autres malades, aussi.

Dans une grande pièce attenante, Socrate aperçut plusieurs rangées de cages, de toutes tailles. La plupart des « malades » étaient des chiens et des chats qui portaient des plâtres ou des pansements, ou étaient reliés à d'étranges machines par des fils et des tuyaux. Mais il y avait encore un singe, des oiseaux de trois espèces différentes, une chèvre et une créature qui ressemblait à un petit paresseux albinos.

— Si vous le laissiez se débrouiller, est-ce qu'i' mourrait ? interrogea Socrate.

Il devait être dix heures du soir, ou plus. Il était seul avec Dolly dans la clinique. Brusquement, il se rendit compte qu'il était en train de se gratter la jambe à travers la poche de son pantalon. Il s'arrêta sur-le-champ.

— Je ne sais pas... Je ne crois pas, non. Il a une forte constitution. Il faudrait que les os se ressoudent du mieux possible, et pour ça le maintenir immobilisé quelques semaines. Comme ça, il devrait s'en tirer. Mais il ne pourra plus marcher normalement.

— Toujours mieux que la prison, ou que mourir.

— Et c'est en prison que vous avez attrapé ça ?

Socrate avait recommencé à se gratter, machinalement.

— Mon père avait tout le temps le même problème, poursuivit Dolly. Dans les années soixante, il était très engagé politiquement, à San Diego. Je me rappelle que les flics cassaient les manifestations, ils pouvaient le matraquer jusqu'à ce qu'il saigne tout noir. Mais la seule chose dont il se soit jamais plaint, c'est des morpions en garde à vue. Il disait toujours : « Au moins, leur taule, ils pourraient la nettoyer un peu ! » (Elle eut un sourire désarmant.) J'ai ici un produit qui vous en débarrassera en deux jours.

Dans sa cage, Bruno poussa une plainte étouffée. Socrate le regarda.

— S'i'm' coincent pour coups et blessures, j'vais être dans une cage tout pareil, moi.

— Mais j'ai donné à votre avocate le téléphone de

233

cette Mme Galesky ! Je suis sûre que son témoignage va tout arranger.

— Ah oui ?

— Oui ! (La simplicité de Dolly faisait son effet sur lui.) Vous savez, j'habite juste derrière. Vous pouvez passer la nuit chez moi.

5

Elle fit chauffer du cidre agrémenté de cannelle, prépara des sandwichs garnis de pousses de luzerne, de poulet grillé, de gruyère et de tranches d'avocat. Socrate en dévora quatre et but plusieurs grands verres de cidre.

Qui pouvait savoir quand il aurait à nouveau l'occasion de prendre un repas ?

Avant, Dolly avait nourri et réconforté chacun de ses « malades », puis elle avait conduit Socrate à la porte de service de la clinique. Il y avait un patio derrière le bâtiment, avec un grand arbre aux feuilles sombres, couvert de fleurs qui répandaient un doux parfum. Un discret portillon en bois ouvrait sur une ravissante petite maison.

— Les gens ne peuvent pas voir où j'habite, à moins que je les invite, avait-elle expliqué en cherchant ses clés dans son sac. J'aime bien ça.

— Votre père, où il est maintenant ? lui demanda Socrate une fois le souper terminé.

Il était tard, minuit passé. Dolly était en train d'installer le canapé-lit dans son salon.

— Il est mort. Il a toujours été si costaud, et puis, en un an, il a vieilli d'un coup et il a été emporté.

— I'vous a jamais parlé de types comme moi ?

234

— Il n'a jamais connu quelqu'un comme vous, monsieur Fortlow.

— Et d'où diable vous savez comment qu'je suis ? rétorqua Socrate d'un ton belliqueux. Vous avez p'têt' pas entendu c'qu'i'disaient de moi, au tribunal ?

Dolly se redressa et le regarda droit dans les yeux.

— Je sais ce que vous êtes en train de penser. « Pourquoi elle ramène un type chez elle, un meurtrier, un repris de justice ? » vous vous dites. Un homme comme ça, il pourrait me voler, me violer, me tuer, non ? (Son air grave fit soudain place à un sourire.) Mais puisque je n'avais pas le choix, autant ne pas m'inquiéter de ça.

— Comment ça vous avez pas le choix ?

— Parce que mon père est mort quand j'avais douze ans et que ma mère est partie, tout simplement. Parce que le seul être qui m'ait aimé était mon chien, Buster. Et que tout ce que j'aie jamais appris, c'est à l'aimer et à prendre soin de lui. Alors, quand je vois quelqu'un qui traite bien les animaux, pour moi ça va. Je suis prête à le traiter comme un être humain.

— Ça signifie quoi ? Le premier qui vous ramène une bête blessée va pouvoir s'asseoir à vot'table et dormir dans vot'canapé, quoi ?

— Mais non !

Sa remarque l'avait blessée.

— Alors ça signifie quoi ?

— Ça signifie qu'un chien est autant un être vivant que vous et moi. Peu importe que Dieu existe ou pas, l'important, c'est la vie. Vous, vous êtes pas comme ces connasses friquées qui tondent leur toutou comme si c'était une putain de pelouse et qui après me l'amènent pour que je le castre ! Vous avez cogné ce type et ensuite vous avez porté ce gros chien pendant plus d'un kilomètre. On vous a mis en prison juste parce que ce chien avait le droit de vivre.

Comment j'aurais pu assister à une chose pareille sans faire tout ce que je pouvais pour vous ?

6

Il demeura longtemps éveillé dans son lit. C'était un vieux canapé, mais il était bien plus confortable que le sien. Ici, les bruits ne passaient pas les murs. Tout était calme, la maison sentait bon. Un long moment, il laissa son esprit vagabonder, essayant de reconnaître ce parfum. Une odeur familière et cependant il n'arrivait pas à nommer.

Il comprit enfin qu'elle venait de l'arbre dans le jardin. Une fenêtre avait dû rester ouverte. Cette seule idée déclencha en lui un fou rire incontrôlable. Il n'avait pas dormi à côté d'une fenêtre ouverte depuis plus de quarante ans.

7

Les trois semaines suivantes, Socrate passa chez Dolly chaque jour en revenant du travail. Il parlait à Bruno. Il se laissait inviter à dîner dans la petite maison.

— Si ce chien-là s'en tire et si j'repars pas en taule, promit-il à la jeune femme, je le prendrai chez moi. I's'ra mon chien.

Le procès eut lieu un mois tout juste après cette promesse.

8

— Vous avez été commise d'office ? demanda à Brenda Marsh la juge, Katherine Hemp.

— Oui, Votre Honneur. Cela fait trois mois que j'exerce, maintenant.

— Et votre client, il plaide quoi ? poursuivit la magistrate, une dame d'un certain âge, aux cheveux gris et aux yeux tristes.

— Innocent, Votre Honneur.

— Bien, mademoiselle Marsh, je ne voudrais pas m'éterniser là-dessus. J'ai une liste d'affaires très longue devant moi. Alors, tout ce que nous voulons savoir dans ce cas, c'est si votre client a effectivement agressé monsieur, euh... (elle jeta un coup d'œil à ses notes)... M. Benheim Lunge.

— Je remercie la Cour du temps qui nous est consacré, Votre Honneur. J'ai seulement trois témoins, qui ne déposeront pas plus de quarante-cinq minutes chacun.

L'avocate s'exprimait à sa manière habituelle, détachant chaque mot comme si elle les retirait un par un de leur enveloppe individuelle. Socrate se demanda si elle croyait qu'elle passerait pour une Blanche en parlant ainsi.

— Benheim Lunge, se nomma l'homme grand et jeune qui avait pris place sur le siège des témoins.

Il aurait été beau si sa bouche n'avait pas été déformée par un rictus amer.

—... Et donc, avez-vous été agressé par le prévenu ? demanda Conrad MacAlister, le procureur café-au-lait.

— Oui, monsieur. Il m'a frappé. Je suis en bonne condition physique mais lui, il a dû faire de la boxe en prison, autrement...

Le regard de Socrate dériva sur le jury. Une majorité de femmes, visiblement épouvantées en entendant Lunge raconter comment, d'un seul coup de poing, l'ex-taulard l'avait gratifié d'un nez cassé et d'un traumatisme cervical.

— Merci, monsieur Lunge, conclut le procureur rondouillard qui se tourna avec un sourire vers Mlle Marsh : Le témoin est à vous, maître.

La jeune avocate se leva d'un air résolu et fit quelques pas vers la barre.

— Monsieur Lunge, aviez-vous une brique à la main quand vous êtes revenu à l'endroit où le chien était couché ?

— Non.

— Je vois... Dites-moi, monsieur Lunge, quelle est votre profession ?

— Je vends des articles de sport. Je tiens un magasin qui appartient à mon père, sur Rodeo Drive.

— Donc, vous n'avez pas de formation médicale particulière ?

— Non.

— Mais n'avez-vous pas déclaré à M. Fortlow que le chien était condamné et qu'il était préférable de mettre fin à ses souffrances ? Et ne croyez-vous pas que le prévenu a pu craindre de bonne foi que vous vous apprêtiez à tuer cet animal avec la brique que vous teniez à ce moment ?

— Objection, Votre Honneur, intervint MacAlister. M. Lunge a déjà répondu qu'il n'avait pas de brique à la main !

— Une pierre, alors ? suggéra l'avocate. Vous aviez ramassé une pierre, monsieur Lunge ?

— Non.

— Aviez-vous quoi que ce soit dans la main quand vous vous êtes approché de M. Fortlow et du chien sur la chaussée d'Olympic Boulevard ?

— Euh... En fait, je ne me rappelle pas, non. Quoique j'aurais pu. J'ai pu attraper un euh, un poids, un haltère de cinq kilos. Je l'ai toujours sur mon siège arrière.

— Un poids ? En quoi est-il fait, ce poids ?

— En fer.

— Donc, vous êtes venu sur M. Fortlow avec cinq kilos de fer à la main ?

— Et comment je pouvais savoir ce qui allait se passer ? Je croyais que le chien était à lui, évidemment. Je voulais aider mais je cherchais aussi à me protéger, c'est naturel. Parce qu'il avait l'air, euh, agressif, je dirais. Et costaud aussi. Je savais que je devais m'arrêter après avoir touché le chien, oui, mais je ne voulais pas me mettre en danger.

— Et donc avez-vous dit que vous aviez l'intention de tuer ce chien avec votre haltère ? Que vous vouliez le soulager de ses souffrances ?

— Absolument pas ! Non, je n'ai jamais dit que je voulais tuer cet animal ! Quoique j'aie pensé qu'il allait mourir, de toute façon. Enfin, je veux dire, il fallait le voir... Il était dans un état pas possible.

9

— Oui, cet homme-là ! s'exclama Marjorie Galesky, un doigt tendu en direction de Benheim Lunge.

Dolly Straight avait déjà déposé, décrivant l'apparition de Socrate à sa clinique, un chien noir affreusement blessé dans les bras, un chien de trente kilos qu'il avait porté le long de l'interminable boulevard pour le faire soigner.

— J'étais assise dans mon jardin, raconta cette dame de soixante-dix-neuf ans. Quand le thermomètre dépasse les trente degrés, je m'installe toujours dehors. Il s'est mis à faire plus frais et j'allais rentrer lorsque j'ai vu la voiture renverser ce pauvre chien. Elle l'a percuté et ses roues sont passées sur ses pattes de derrière. Et alors cet homme (elle montrait cette fois Socrate), le Noir, là, est arrivé au secours du chien

239

quand soudain l'autre, le conducteur de la voiture, a surgi en courant avec une brique dans la main... Ou en tout cas, ce qui ressemblait à une brique. J'ai entendu dire que c'était un poids, je ne vois pas trop ce que ça veut dire mais en tout cas c'était bien lourd, visiblement, et il est arrivé en trombe avec, et il a dit quelque chose au Noir et puis il a essayé de frapper le chien. D'abord, le Noir l'a repoussé, ensuite il l'a attrapé et il l'a frappé.

Elle faisait moins d'un mètre cinquante, fluette, fragile. Là, en train de raconter son histoire devant la barre, elle avait l'air ravi d'une enfant et le souvenir du coup de poing allumait encore une lueur d'intense satisfaction dans ses yeux. Socrate se retint pour ne pas sourire.

10

« Socrate Fortlow », répondit-il quand on lui demanda de décliner son identité.

— Oui, je l'ai fait, dit-il lorsqu'on lui demanda s'il avait frappé le plaignant. Et il raconta.

— L'a renversé ce chien-là et l'a continué et je pensais plus à lui, j'essayais de voir c'que j'pourrais faire pour cette bête et là i's'ramène avec un morceau de fer à la main. Alors i' regarde partout et i'dit qu'autant l'empêcher d'continuer à souffrir. Ensuite i'm' sort qu'i'va prendre le chien dans sa voiture. Moi je dis d'accord, j'viens aussi, mais lui i' répond qu'y a pas assez de place pour le chien et moi. Alors j'dis que j'ai vu une clinique de vétérinaire pas loin et que je vais y porter le chien. I' dit non, alors moi aussi j'dis non. I' va au chien avec sa ferraille dans le poing, moi j'tends un bras pour l'arrêter mais i' continue, alors j'y donne un taquet, un seul. J'avais pas l'intention de lui causer tout ça, mais bon, ce chien, i' devait pas y toucher. Oh non.

11

— Notre verdict est : coupable, annonça la porte-parole des jurés, une Noire. Elle paraissait déplorer la décision mais c'était trop tard, elle devait l'assumer.

12

En attendant le procès, Socrate avait rendu visite à Bruno tous les jours. Dolly avait fabriqué un harnais en lanières de cuir, raccordé à une laisse, qui lui permettait de soulager l'arrière-train du chien. Ainsi soutenu par Socrate, Bruno avait commencé à apprendre à avancer en se servant seulement de ses pattes de devant.

— Vous pourriez tendre une corde à linge autour de votre jardin, monsieur Fortlow, lui avait-elle suggéré. Ensuite, vous attachez son harnais à une poulie, sur la corde. Comme ça il pourra marcher sans avoir besoin de votre aide tout le temps.

— Ah oui... Dites, Dolly, comme garantie pour ma caution, vous avez donné quoi ?

— Ma maison, avait-elle répondu.

— Ah.

Bruno avançait en claudiquant, la douleur dans sa hanche lui arrachant parfois un jappement, puis il s'arrêtait pour lécher les mains de ses deux nouveaux amis.

— Vous pouvez vous enfuir, ça m'est égal, avait ajouté Dolly. Seulement, il faudra que vous preniez Bruno avec vous.

241

13

Peu avant le verdict, Brenda Marsh s'entretint longuement avec Socrate. Dans le petit bureau du tribunal qui leur avait été laissé pour l'occasion, il jura, tempêta, tapa du poing sur la table. Il refusait d'agir comme elle le lui demandait.

— Quoi, vous allez m'enlever le peu qui m'reste ? lui demanda-t-il, indigné.

— J'essaie juste d'empêcher que vous retourniez en prison, répondit-elle avec son irritant débit. Vous, vous voulez y retourner ?

— Y a plein d'choses que j'veux pas. Et une que j'veux vraiment pas, c'est me mettre à genoux devant personne, ni homme, ni femme, ni enfant !

Brenda Marsh garda le silence. Et c'est à cet instant que Socrate comprit qu'elle était certainement une très, très bonne avocate.

14

Trois jours après le sursis accordé à Socrate, à la fin du dîner que Iula avait préparé pour fêter l'événement, il revint chez lui en compagnie de Right Burke, l'ancien combattant mutilé. Ils s'installèrent dans sa pauvre cuisine. À leurs pieds, Bruno riait de toutes ses dents et donnait de grands coups de langue aux courants d'air.

— Je déteste ça, Right. Ça me rend malade, vraiment.

— T'es libre, c'est pas l'principal ?

— Ouais, mais tous les jours j'me réveille dans une colère pas possible.

Brenda Marsh avait obtenu un entretien en tête à tête avec la juge Hemp. Elle l'avait suppliée de ne pas renvoyer Socrate en prison. Le jury l'avait déclaré coupable, avait rétorqué la magistrate, que pouvait-elle faire maintenant ?

À ce moment, l'avocate avait sorti sa botte secrète, son plan : Socrate allait présenter ses excuses à la Cour, à Bernheim Lunge et à toute la société. Il écrirait une lettre de contrition qu'il posterait près de l'arrêt d'autobus devant lequel il avait frappé Lunge. Il irait voir celui-ci chez lui et implorerait son pardon. Il se mettrait à la disposition du tribunal pour enfants, il irait parler aux jeunes délinquants noirs, leur raconterait comment il avait dévié du droit chemin et comment il s'était promis de ne plus s'en écarter.

Il donnerait cinquante heures de travail supplémentaires pour le bien de la communauté. Pour cela, pour tout cela, ils pouvaient bien lui accorder le sursis...

— Mais t'es libre, Socco, libre ! répéta Right, son meilleur ami. Cette 'tite-là, elle s'est décarcassée pour toi. Parce que tu sais, elle a dû sacrément la supplier, la juge ! Après ce gros procès qu'on a eu ici, les juges, i' z'auraient plutôt envie de jeter le premier Black qui passe en taule ! Merde, quoi. T'es coupable ? Tu vas en prison, et tout de suite, hein ? Pas de sursis !

— Ouais, mais tu sais, j'ai dit oui rien qu'à cause du chien. Rien qu'à cause du chien, j'ai accepté.

— Comment ça ?

— L'a besoin de moi ici, en liberté. Lui, et Darryl, et toi aussi, vieux frère. C'est pas dans un cachot ou en m'faisant la malle que j'peux aider quiconque. Tu vois, j'les aurais même laissés saisir la piaule de cette fille blanche si j'avais pas eu mes obligations à moi.

Le chien lança un aboiement soudain et leva le nez, guettant une caresse.

— T'es un fou et t'es un chanceux, mon vieux Socrate Fortlow, soupira Right.

— Pour ça t'es dans l'vrai, mec. J'suis un fou d'être comme je suis, et j'suis chanceux d'être resté en vie jusqu'ici. Moi et c'grand chien noir-là. Oh oui, merde : moi et ce chien noir-là.

Derniers sacrements

1

— J'pourrais pas faire une chose pareille, Right, déclara Socrate. J'veux dire, je voudrais bien mais j'peux pas. J'peux pas t'apporter un revolver. Pas ici, dans la maison de Luvia, et tout ça...

— J'aurai qu'à venir chez toi, fit Right Burke d'une voix éteinte.

Il était prostré au lit depuis six semaines, torturé par un cancer de la prostate. Trop faible pour se rendre à l'hôpital en bus, trop pauvre pour qu'un médecin vienne l'assister à son domicile.

— Et comment ça se pourrait, ça ? Ah oui, tu débarques chez moi et tu t'tires une balle dans le crâne, ensuite j'vais trouver les flics et j'explique quoi ? Que c'était un pistolet en plastique, j'croyais, que c'était pour de rire ?

— Alors j'irai dans le parc.

Right grimaça sous la douleur qui s'était réveillée quelque part dans son ventre. Il agita sa main atrophiée, inutile, cherchant à congédier cette souffrance loin de lui.

— Mais enfin, vieux, la dernière fois que t'es sorti t'as pas pu faire plus de dix mètres...

— Eh ben là j'ferai plus, merde ! (Des larmes

jaillirent de ses yeux épuisés.) J'aurais jamais dû écouter Luvia. J'aurais jamais dû m'séparer de mon flingue.

Socrate attrapa la main invalide de son ami et la serra fort. Il resta là plus d'une heure, immobile, jusqu'à ce que Right sombre dans un sommeil troublé. De temps à autre, Luvia Prine, haute silhouette aussi squelettique que Burke, passait la tête par la porte.

Socrate la croisa dans le couloir lorsqu'il quitta son camarade mourant. Il fouilla dans sa veste, en sortit une liasse de petites coupures.

— Voilà cinq cents dollars, Luvia. Appelez une ambulance et partez à cet hosto avec lui. Faites en sorte que le toubib dise quèqu' chose, pas du bla-bla. C'qui restera, vous pouvez l'garder, pour tout c'que Right aura besoin.

— D'où sort cet argent, Socrate Fortlow ?

Elle n'avait même pas fait mine de retirer ses mains des poches de son tablier.

— C'est c' que vous appelleriez d'l'argent tout ce qu'y a de propre, mademoiselle Prine. Gagné à la force du poignet.

Son regard hostile ne le gênait pas. Il savait qu'il était un sale type, qu'il méritait donc sa méfiance.

— Et dites au toubib de lui donner quèqu' chose contre la douleur. S'ils lui r'filent un peu d'morphine, ce s'ra moins dur pour lui.

Ce fut la tristesse dans sa voix, il en était certain, qui la décida finalement à accepter les billets.

— Je vais les appeler, oui. Et j'irai avec lui. Mais vous savez, s'il voulait, ils le prendraient, à la maison des anciens combattants.

— Sauf qu'i' veut pas, Luvia. Vous, vous aimeriez mourir dans un endroit inconnu, loin de là où vous avez vécu ?

— Ce ne serait pas tellement inconnu puisqu'on serait avec lui !

— Mais le soir, on pourrait pas rester lui tenir compagnie, vrai ? Supposez qu'i'se mette à mourir en plein milieu de la nuit. Au moins, i'voudrait savoir qu'i'peut vous appeler, vous, ou moi, ou quelqu'un d'ici.

— C'est Dieu qui décide quand et comment vous devez mourir, monsieur Fortlow.

— Alors Dieu a dû décider que Right allait mourir ici, avec vous, faut croire.

2

Blackbird Wills vivait aux Billards Hogan. Il avait un lit dans l'arrière-salle et prenait ses repas au bar. Hogan avait disparu depuis des années déjà, mais Blackbird avait toujours payé les factures qui arrivaient au nom de l'établissement. D'après une rumeur persistante, il avait tué Hogan et l'avait enterré dans la cave après une mauvaise dispute à propos d'une femme, Trisha Hinds, qui était maintenant la régulière de Blackbird.

Comme personne n'aimait Hogan, personne n'avait prévenu la police. L'histoire circulait, d'accord, mais Blackbird versait ce qu'il fallait d'argent pour sa protection personnelle.

Ce n'était pas un billard pour les honnêtes gens. Des armes transitaient par là, et des bijoux, et des téléphones portables de contrebande, et de la drogue. Les flics touchaient assez pour fermer les yeux, donc tout se passait sans encombre, tant que personne n'attirerait l'attention sur cet endroit louche.

La nuit tombée, on s'y réunissait pour monter des coups et former des plans. Blackbird connaissait par leur nom tous les voleurs, tous les trafiquants et tous les hommes de main de la ville. Un professionnel pour une opération délicate ? On en trouvait toujours au moins un aux Billards Hogan.

Socrate n'y était jamais entré, lui, persuadé qu'un homme se juge aussi à ses fréquentations.

Ce mercredi, pourtant, il se risqua à l'intérieur, quittant le vif soleil de la rue pour plonger dans la pénombre bleuâtre du bouge. Il y avait quelques hommes à une table, Trisha était au bar. Ce n'était pas un endroit propice aux délassements innocents.

— Où qu'i' s'rait, Blackbird ? demanda-t-il à la femme qui, de toute évidence, avait jadis été très belle.

— Hé, vous seriez pas ce Socrate-là dont i' causent ?

— Mmm.

— Oui, ça cause sec, à votre sujet.

Elle jaugeait des yeux sa carrure, son torse. Puis ses lèvres s'incurvèrent, comme pour signifier : « Possible, oui. »

— Et pour dire quoi ? interrogea Socrate en se maudissant de se retrouver à bavarder dans un endroit pareil.

— Que t'es un sacré fils de pute, voilà quoi, murmura-t-elle.

Toute son expression, sa moue parlaient de sexe. Le genre de sexe pour lequel Socrate était allé jusqu'à tuer... dans le temps.

— Ah bon, fit-il lentement. Mais aujourd'hui, je cherche Blackbird, juste.

— Et pourquoi tu l'veux ?

— Va l' chercher. Allez, va.

La surprise apparut sur le visage de Trisha. Elle était étonnée de sentir qu'elle s'apprêtait à obéir à son ordre. Elle n'était pas du style à plier devant un homme, ou pas tout de suite, en tout cas. Pourtant elle était déjà partie, le laissant seul au bar.

Il avait un calibre 45 dans sa poche. Un revolver qu'il avait confisqué de force à un morveux, dans un parc. Il était pour Right. Avec ce poids dans la poche, il éprouvait une grande assurance, une totale confiance. Il lui suffirait de trois jours passés dans un antre pareil pour aller dévaliser les magasins de gnôle. Et de trois semaines pour commencer à se servir de cette arme.

— Ouais ? lança Blackbird en s'approchant de lui. T'es si pressé qu' tu viens en pleine journée ? Ça peut pas attendre ?

Fortement charpenté, avec un long visage lisse, il dépassait le mètre quatre-vingts. Tout était développé chez lui, sauf le cou : sa tête était dans ses épaules, toujours relevées, lui donnant l'air d'un oiseau posé sur sa branche.

Regardant Socrate de haut, il insista :

— Alors ?

— J'avais besoin de quèqu' chose, alors j'suis venu.

— Et qui t'es pour débarquer ici en m'demandant en personne ?

— J'dois bien être pas n'importe qui, puisque t'es là.

— Cherche pas à m'niquer, négro.

— Quand j'te niquerai tu l'sentiras bien assez, mon frère. J't'ouvrirai en deux comme une putain de pastèque.

Une série d'émotions contradictoires agitèrent son visage et son corps. D'abord, il fit mine de se préparer à le frapper, mais il s'arrêta net et un rictus dédaigneux se forma sur sa bouche. Socrate lisait facilement en lui.

Blackbird était un méchant, et un dur. Sans doute plus méchant et plus dur que Socrate lui-même. Mais il était aussi prisonnier de sa réussite : il pouvait très bien se battre avec ce visiteur, voire le tuer, mais si cela devenait une habitude il finirait au pénitencier, ou avec sa salle de billard incendiée jusqu'à la tombe de Hogan.

Socrate, lui, n'avait rien à perdre. Il pouvait tailler la route le lendemain sans se retrouver plus pauvre pour autant. Toute sa fortune se résumait à quelques ustensiles achetés d'occasion au surplus militaire et au sac en plastique enterré dans son jardin. Ce sac, c'était son compte en banque : près de quatorze mille dollars, la récompense reçue pour avoir dénoncé un pyromane.

Toutes ses affaires auraient aisément tenu dans le coffre d'une Coccinelle.

Il adressa un grand sourire à Blackbird.

— Allez, mec, écoute-moi bien. Ça te coûtera pas un rond.

— Quoi ?

— I'm'faut une centaine de comprimés de morphine. De la balèze, hein. Contre la douleur.

— Et c'est pour ça que t'es là ? Les junkies, c'est dans la rue ! Fous le camp dehors, si tu veux ta came.

— Ne fais pas ça, ça vaut mieux pour toi, l'avertit Socrate d'un ton égal.

— Ah oui ?

— Tu me connais pas, mec. Tu sais pas qui j'suis. Mais j'te l' dis, moi : j'suis pas le genre à déconner avec. Tu tiens un commerce ici, vrai ? Alors moi j'ai l'droit d'y venir et de faire des affaires.

Blackbird éclata de rire.

— Eh ben appelle les flics, alors ! Si tu trouves que t'es pas bien traité, appelle ces enfoirés de flics !

— Oh, ça, j'suis sûr qu'i' viendraient, mon frère. Qu'i' viendraient dare-dare, même. Mais toi et moi on sait que c'serait trop tard, d'ici là...

Blackbird le dévisagea. Il se rappela peut-être les

histoires qui couraient à propos d'un ancien taulard de l'Indiana dont un seul coup de poing pouvait tuer un homme. Ou bien, simplement, vit-il le meurtre dans ses yeux, le meurtre qui restait à jamais inscrit dans ses pupilles ?

— Trois cents dols pour la quantité que t'as dit, finit-il par annoncer.

— J't'en donne quatre cents.

— Mais... pourquoi ?

— Pasque c'est pas un service que j'demande. T'as une bonne affaire qui tourne bien, alors moi j'laisse un bon pourboire.

— Ha ! Quoi, cent dollars, pour toi, c'est d'l'argent ? Mais moi j'en ai dix mille rien qu'en faisant ça, mec !

Son claquement de doigts était aussi sonore qu'une détonation.

— Ouais, mais là, présentement, c'est quatre cents que tu vas avoir.

3

— Oooooh, gémit Right Burke au coin de Hooper et de la 74e Rue.

Il s'arrêta, la main posée sur son bas-ventre.

— Ça fait du mal, Right ? s'enquit Socrate avec autant de désinvolture que s'il s'était agi d'une piqûre de guêpe.

— Non, non ! fit son vieil ami. C'est tout l'contraire, tout l'contraire... La vache, cette drogue, c'est pas n'importe quoi, dis donc !

Les trois premiers jours, il avait dormi comme une souche : la morphine de Blackbird, pour la première fois depuis des semaines, lui avait permis de retrouver le sommeil. Il ne se réveillait que pour prendre un autre comprimé et un peu de soupe.

Le quatrième jour, il avait pu se lever et avaler un sandwich à la dinde fumée, une barre de chocolat.

Le cinquième, il était dehors, marchant sur des nuages aux côtés de son meilleur et dernier copain : Socrate Fortlow.

— Tu veux faire quoi, Right ?

— J'veux aller dans un bar et mater d'la belle jambe de femme !

Tout en Skaï rouge et chrome, Chez Dilly était un de ces bars où les serveuses portent des corsaires ultra-moulants et sourient à tout le monde comme si elles étaient au septième ciel.

Right prit son comprimé du soir avec une rasade de whisky. Il souriait, lui aussi.

— La vache, cette gnôle elle m'fait tout voir en double, Socco ! Et tu sais, un seul comme toi, c'est déjà un spectacle assez moche !

Socrate rit de bon cœur. Il avait toujours le calibre 45 dans la poche, entièrement nettoyé et enveloppé dans une feuille de plastique. Ce serait son cadeau d'adieu à Right. Mais cette surprise, il la gardait pour plus tard.

— Tu sais pourquoi j't'aime bien, Socco ?

— Non, mec. Non.

— Pasque t'es l'plus secoué des secoués, expliqua Right avec un petit rire. Enfin, quoi, i' t'ont botté ton cul de nègre jusqu'à que t' arrêtes plus d'avoir mal et toi tu t' décarcasses pour trouver un boulot, et pour ces gosses qui traînent dans la rue, et pour ci, et pour ça... Là, tu t'radines avec mes dicaments alors qu'à l'hosto i' disent non, pas question, pas ce genre de drogue pour un type de Watts. Non, mais tu t'rends compte ? Empêcher la drogue d'entrer dans l'ghetto en interdisant aux malades d'en avoir ! Putain, c'est plus que temps de casser sa pipe, j'crois.

Socrate sirotait son verre. Soudain, Right se mit à crier :

— « Ouvrez la porte ! » C'est ça qu'on disait, à Paris : « Ouvrez la porte ! », en français. Ouvrez vite, nom de nom, pasque l'Oncle Sam est arrivé ! Et i' nous ouvraient, et i' nous servaient du vin qu'i' planquaient depuis cinq ans aux Allemands. Tout s'ouvrait pour nous, les caves à vins, et les garde-manger, et les jupes aussi. La vache, c'était quèqu' chose, mec ! Moi, à dix mille bornes de l'Arkansas avec un fusil à la main et une belle doudou sur mes genoux ! Mmm ! Tu sais, j'aurais pu crever sur-le-champ, là... J'aurais dû.

— Mais non, mais non. Tu nous aurais manqué, vieux frère.

Right contemplait son verre vide. Socrate commanda une autre tournée d'un signe de la main.

— Et tu m'aurais manqué aussi, Socrate Fortlow. Oui, messié ! Toujours à poser toutes ces questions et à faire tous ces trucs dingues... T'es mieux qu'le ciné, mec, mieux qu'la télé. Tu sais, j'ai jamais été à l'aise quand on causait ensemble, vu qu'on avait l'impression que t'avais déjà réfléchi à tout et que tu faisais qu'attendre de voir ce qu'on avait dans la calebasse, nous autres. En tout cas, c'est comme ça que je l'sentais, moi. Je sais que t'es mon pote, mon grand pote, et je sais que tu m'respectes, mais c'était toujours toi d'abord, toi d'abord...

La serveuse, une jeune fille à la peau caramel, apporta leurs boissons. Right prit une longue gorgée et reposa le large verre.

Ils étaient installés sur une banquette cossue, dans un cadre élégant, mais ils n'étaient pas habillés comme l'aurait voulu le contexte. La plupart des clients étaient jeunes, sur leur trente et un, les filles en minijupes et justaucorps décolletés, leurs hommes en gris ou en noir. Le fond sonore était de la variété moderne, chanteuses ou chanteurs de charme, du sexe mis en musique. Des lèvres rouges qui susurraient des mots tels que les mâles aiment les entendre. L'ambiance était sexy, pleine de swing, et Right Burke gardait le visage levé, se laissant imprégner par le vacarme comme un gamin qui s'amuse à laisser tomber la pluie sur sa peau.

Quand il leva sa main valide, une jeune femme en cycliste s'approcha d'eux.

— Ouiiii ?

Elle souriait. Elle avait les dents du bonheur.

Right tira deux billets de sa poche, un de cinquante, l'autre de vingt. C'était de l'argent que Socrate lui avait avancé. La fille le regardait droit dans les yeux.

— Comment qu'tu t'appelles, ma chérie ?

— Charla.

— Eh ben, Charla, voilà cinquante dollars pour tous les whiskies qu'on voudra. Et ces vingt-là, c'est pour toi, pour que tu nous les apportes au fur et à mesure.

Il brandissait les billets en souriant. Il n'était pas beau, ne l'avait jamais été. Il avait subi une paralysie partielle, sa main gauche n'était plus qu'un inutile fagot de brindilles, la moitié de son visage était figée en un rictus de cadavre, il boitait, il lui manquait trois dents de devant et il ne pesait pas plus lourd qu'un gosse. Mais il y avait encore du charme dans ses yeux, de la grâce dans sa façon d'incliner sa tête de côté.

Et Socrate se dit que Charla était plus séduite par son gentil flirt que par le généreux pourboire.

— Eh oui, Socco, continua Right quand Charla s'éloigna pour aller chercher une autre tournée. J'ai

254

jamais rien eu à dire que t'aies pas déjà su. Et pourtant, j'en sais, moi aussi.

— Ah oui ? Et quoi ?

Il était content de voir son ami plaisanter, parler,
prendre du bon temps. Et il était content de voir
Charla revenir vers eux toutes les cinq ou dix minutes
et leur offrir ses longues jambes à regarder.

— La mort. J'pourrais t'en causer et t'en causer,
d'la mort.

Socrate ne put s'empêcher de tendre l'oreille.

— Oh oui ! renchérit Burke en souriant. (Il voyait
bien qu'il avait réussi à intriguer son dur à cuire
d'ami.) C'est clair comme l'eau de roche, mon
frère. Aussi clair et aussi froid. Au début, on dirait
qu'y a un monde ici, là où qu'on vit, et puis encore
un autre plus loin. Mais en réalité i' sont tous les
deux au même endroit. Y en a un qu'est brûlant et
qui te donne la suée, tandis que l'autre est frais,
peinard...

— T'as les foies, Right ?

— Peur d'la douleur, ouais, et pas qu'un peu, mais
pas de la mort. Ça, c'est fini.

— Tu veux dire que t'as décidé de plus y penser ?

Les yeux de Right étaient deux billes de verre
jaune et brun. Ses rares dents apparurent dans un
sourire.

— Non, non, mec. J'vois ce que t'entends par là.
Tu veux dire comme dans la guerre, quand des
bougres crèvent partout autour de toi : les balles,
les bombes, les maladies aussi, alors i'tombent
comme des mouches. Tu vois ton meilleur copain
y passer, ensuite c'est ton nouveau meilleur copain.
Et ça arrive tous les jours. Et ça devient automatique : l'envie d' te faire du mauvais sang te quitte.
Et la peur aussi. C'est comme ça la guerre, et j'parie
qu'en prison c'est pareil. Mais là, c'est pas c'que
j'ressens non plus.

— P'têt' que c'est simplement rapport à la came, Right. Tout bonnement, hein ?

— Oh non, Socco. Non et non. C'est pas ça. Même avant que tu m'la trouves, j'avais déjà cette impression. Surtout tard dans la nuit, au lit, avec mon sac de glaçons sur le bide. Quand je bougeais pas, vraiment pas, eh ben l'cancer aussi i' finissait par s'tenir tranquille. Et là, je pouvais sentir ça.

— Ça quoi ?

— Comme si quèqu' chose bougeait dans mon corps. Comme si moi j'mourais mais qu'autre chose était en train de prendre vie. Des serpents brillants comme la glace qui montaient et descendaient dans moi, en sifflant et en se tordant. Si je restais vraiment sans bouger, ça m'prenait entièrement et alors tout ce qui venait du monde réel, du monde des vivants, ça m'atteignait comme une souffrance. On aurait dit que j'étais parti très loin et soudain, paf, on m'traînait en arrière en m'fichant des coups partout...

— C'est votre anniversaire ?

Charla se tenait devant eux, un verre de scotch dans chaque main.

Socrate la fusilla du regard. Il voulait en entendre plus de son ami.

— Non, ma belle, répondit Right. Un pot d'adieu, on fait. J' rentre chez moi, dans ma famille.

— Et c'est où ? demanda la fille.

— L'Sud profond, comme qui dirait.

— Oh, super ! Et vous partez quand ?

— Cette nuit même.

4

Ils burent leur scotch. Right abattit son verre vide sur la table. Il y avait de la musique de danse, maintenant, et tous les jeunes s'étaient levés pour former des couples enlacés.

— Mais moi... Moi l'a fallu que j'attende jusqu'à maintenant, Socco.

— Oui ?

— Oui. Quand t'es en train d'mourir, y a tellement de trucs à faire, à régler ! Des choses qu'i' faut dire, d'autres qu'i' faut donner. C'est beaucoup d'boulot, mec, surtout quand t'es là à écouter ces fichus serpents !

— J'peux faire quèqu' chose pour toi, Right ?

— T'as déjà fait tout c'que tu pouvais, frère. Hé, tu m'as donné d'la morphine, d' la bonne gnôle et des jolies filles à mater. Merde, qu'est-ce qu'un type qui va crever peut demander d'plus ?

Il eut un haut-le-cœur et se pencha soudain sur sa gauche. Un liquide jaune, laiteux, jaillit de sa bouche et tomba sous la banquette.

— Tiens, fit Socrate en envoyant sa serviette dans le coin où il avait vomi. Cache un peu ça.

Right s'y employa tant bien que mal. Il n'avait pas l'air d'y accorder une grande importance.

— Tu veux y aller, Right ?

— Une minute, Socco. D'abord, j'voudrais te raconter c'que j'ai fait. Et après j'voudrais te poser une question.

— D'accord. Mais tu sais que Charla elle va perdre son grand sourire quand elle va découvrir ce merdier...

— J'ai pris une assurance, Socco. (Il était tout en sueur, brusquement, et sa main valide tremblait.) Vingt mille dollars. T'en auras cinq et Luvia le reste. Elle est au courant. Tout c'qu'est dans mon tiroir, c'est pour toi. Luvia sait ça aussi. Ah, et puis y a des lettres pour les potes, Stony, Ralph et d'autres...

À mesure qu'il parlait, sa voix déclinait comme s'il était en train de penser à tout autre chose.

— Right ? On ferait mieux d'y aller, mon gars.

— Qu'est-ce que tu penses de moi ?

— Hein, quoi ?

— J'veux savoir c'que tu vois quand tu m'regardes, Socrate ? J'ai toujours voulu entendre ça, mais un homme, i' peut pas poser ce genre de question à un autre homme, vrai ? Maintenant je peux.

— Qu'est-ce que tu veux ?

— Je veux qu'tu me dises c'que tu vois quand tu m'regardes.

— Mais je sais pas, mec ! T'es mon ami, voilà. Mon ami.

Right sourit en hochant la tête. Il attendait une suite.

Mais Socrate n'avait pas envie d'en dire plus. Il n'avait pas envie de rester dans cette salle pleine de jeunes corps en chaleur et de musique assourdissante. Pas envie de se saouler. Et pas envie de regarder Right mourir.

— J'sais pas, Right. Tu voudrais que j'dise quoi ? T'es mon ami. Mon ami...

Charla était revenue à leur table.

— Il est malade ?

— Ouais.

5

Soutenant Right de son bras, Socrate sortit du bar et alla jusqu'à un arrêt d'autobus de Crenshaw. Il s'assit et installa son compagnon à côté de lui.

— J'vais nous chercher un taxi, Right. Toi tu bouges pas.

D'une main faible, le mourant l'empêcha de se remettre debout.

— On a qu'à attendre le bus, mec. J'aime bien voir toutes ces lumières qui bougent.

Ils restèrent donc quelques minutes dans le vacarme de la rue. Il était à peine dix heures, un flot de voitures s'écoulait en vrombissant, en klaxonnant, en laissant passer de la musique par les fenêtres ouvertes. Il y avait des sirènes de police, et des hélicoptères qui volaient bas, des néons qui clignotaient en tous sens.

Socrate craignait que le froid de la nuit ne soit fatal à son ami.

— Ça va, Socco, ça va, chuchota l'ancien combattant. C'que tu vois, j'le sais bien, va.

— Hein ?

— Je sais qu'tu m'aimes, mec. Et moi aussi j't'aime.

— Ouais.

— Aide-moi à trouver ces comprimés-là, tu veux ?

Socrate attrapa le flacon dans la poche de son camarade.

— Sors-m'en dix et emporte le reste.

Il obéit sans broncher.

Après, ils restèrent tranquilles un long moment. Right ferma les yeux. Il dormait, ou peut-être, se dit Socrate, peut-être il mourait.

Lorsque le bus fut en vue, il le secoua par l'épaule. Le vieil homme se redressa, un peu ragaillardi.

— Allez, viens, fit Socrate.

Au lieu d'accepter son aide, Right commença à enfourner ses comprimés, un par un. Il avait du mal à avaler mais il se forçait. Socrate le regardait.

— Tu veux que je fasse quoi, Right ? demanda-t-il alors que le bus approchait encore.

— Laisse-moi ici, vieux. Monte dans ce bus-là et tire-toi.

— J'peux quand même pas t'abandonner ici...

— Et pourquoi ? Tu peux pas m'sauver non plus, Socco. (Il ingurgita encore un comprimé.) Laisse-moi mourir, mec. Au moins laisse-moi ça.

— Mais t'es mon ami, mec ! Mon ami, t'entends ? J'tourne pas le dos à un ami, moi.

— Ce toubib que tu m'as envoyé, l'a dit à Luvia que j'étais pratiquement mort déjà. Que rien pourrait me sauver, ni médicaments, ni opération, ni rien.

Right ne quittait pas Socrate des yeux. Par-dessus l'épaule du mourant, le feu passa au vert.

— Et là, ce soir, j'pourrais jamais mieux m'sentir que maintenant. Bien pété, la came, tout... Ah, l'odeur de cette serveuse-là, j'la sens encore ! (Il leva sa main infirme.) Laisse-moi mourir avec quèqu' chose, Socco.

Le bus était tout près, maintenant.

Socrate aurait voulu agir, mais il n'y avait rien à faire, rien à ajouter. Right avait tout dit, de sa voix la plus ferme, la plus forte, la voix qu'il prenait lorsqu'il voulait proclamer sa virilité. C'était cette voix qui avait convaincu Socrate de ne pas insister.

Le bus s'arrêta dans un grincement flatulent. Les portes s'ouvrirent. Socrate se leva, sentit l'alcool affluer à sa tête et il monta les marches en chancelant. Puis il se tourna et empêcha la porte automatique de se refermer derrière lui.

— Hé, là-bas, qu'est-ce qui t'prend, toi ? hurla le chauffeur. Laisse un peu cette porte !

Right sourit, ou plutôt montra ses dents. Il fit un petit signe à Socrate.

Il franchit la dernière marche, les portes se refermèrent avec mauvaise humeur et le bus l'emporta. Il chercha à atteindre une fenêtre pour adresser un dernier au revoir mais la cabine était bondée. Le temps qu'il parvienne à l'arrière, son ami avait disparu.

Le bus fonçait à travers la nuit intense. Plus d'une fois, Socrate tendit la main vers la sonnette, prêt à descendre au prochain arrêt et à courir jusqu'à Right. Il l'imaginait les dents serrées, s'affaissant sur le côté.

Il pensait au revolver qu'il avait dans sa poche, et au pouvoir de mettre fin à ses jours.

— Pas besoin d'bagnole de flic ni d'hosto, murmura-t-il. L'en a pas besoin, Right. Ni d'toute cette merde-là. Et moi non plus.

Table

Cet ouvrage a été composé par Nord Compo.
Achevé d'imprimer sur Roto-Page
par l'Imprimerie Floch à Mayenne,
pour les Éditions Albin Michel
en septembre 2000.

N° d'édition : 19175. N° d'impression : 49437.
Dépôt légal : septembre 2000.
Imprimé en France.